雪珂

瓊瑤◉著

全集自序

從我出版第一部小說『窗外』到今天，已經足足過去了二十六年。有時，眞不相信，四分之一個世紀，就在我的塗塗寫寫中悄然而逝。這二十六年，不管我生命中有多少風風雨雨，多少喜怒哀樂，我的『寫作』，却一直是我生命中的一條主線。在我沮喪時，我會逃遁到寫作裡去，當我歡樂時，我會表現到寫作裡去，當我寂寞時，我用寫作塡補空虛，當我充實時，我又迫不及待要拾起筆來，寫出我的感覺……因而，這漫長的二十六年，我雖然偶爾會蟄伏、會休息，却從不曾眞正停止過寫作。就這樣，細細數來，從『窗外』開始，到『我的故事』爲止，二十六年來，我已出版了四十四本書。

去年年初，因爲開放大陸探親，我有幸在離鄉三十九年後，首次回大陸。到了北京，發現我的四十幾部作品，被出版得亂七八糟。當時，就有一種强烈的願望，要好好整理一下這些作品。返台後，又因爲有好幾部作品需要再版，我和鑫濤，就決定藉再版之便，重新整理我的作品，改換版本形式，統一編排，出版這套『瓊瑤全集』。

因爲時代已經不同，出版品也隨著時代進步，現在的紙張、字體、編輯、版本形式……都遠勝以往。再加上，我過去的作品，有的書太薄（如『月滿西樓』），有的書太厚（如『幸運草』）。有的排版太密，有的又排得太鬆，有的字體太小，有的又太大。這一次，我們把所有的缺失更正，做完全的調整。作品內容，也有更改，例如，『六個夢』一書中，居然有七個故事，這是件挺荒謬的事，如今，抽出一個故事，還原成『六個夢』。又例如，『月滿西樓』只是一部中篇，勉强成書，總覺份量不夠，現在，加入另外幾部中篇，重新結集。

在我這所有的作品中，最特別的是『不曾失落的日子』。這部書嚴格說來，是一部我自己『殘缺的自傳』，有『童年』部份，缺掉了成長以後的過程。今年春天，我將此書重新寫過，把我成長以後的部份補齊，改名爲『我的故事』。這部書，在我的全集中取代了『不曾失落的日子』。因而，四十四部書，經過整理後，變成四十三部。至於『不曾失落的日子』中的散文部份，以後，可能會滙集我的其他散文，出版一部散文專輯。

當然，重新編撰一套全集，是件工程浩大的事，以往的書中，錯字別字漏字都很多，借此機會，全部修正。這樣浩大的工程，不是一朝一夕就能完成。但，我們總算開始了這件工作。在重選封面，重選字體，重選版本形式……的時候，我雖忙碌，却也興奮。過去的作品，不管好不好，都是我生命中最重要的一部份。重新編撰，重新出版，也算我的一種『重生』吧！

從來不曾覺得自己的作品寫得好，也從來不曾自滿過。每次出書，都戰戰兢兢，如履薄冰。生怕自己的作品禁不起讀者的考驗，和時間的考驗。現在，在『全集』出版前夕，這種情懷，仍然強烈。總覺得自己渺小平凡，寫出的每部書，也都是一些渺小平凡的故事。儘管書中常有『轟轟烈烈』的感情，那也只是『平凡人』的感情。

且讓我把這套『瓊瑤全集』，獻給全天下平凡的，和不平凡的朋友們！

瓊瑤寫於一九八九年七月三十一日
於台北可園

1

清宣統二年，北京城郊。

草原上是一片厚厚的積雪，風呼刺刺的吹著，大片大片的雪花，在空中肆意的飛舞，遠山遠樹，全籠罩在白茫茫的風雪中。

除了風雪，草原是寂寞的，荒涼的。

突然間，兩匹瘦馬拉著一輛破馬車，在車伕高聲的吆喝下，『嘞喇喇』的衝進了這片蒼茫裡。

『快啊！跑啊！得兒，得兒，趕啊！』車伕嚷著。

車內，雪珂緊偎著亞蒙，兩人都穿著藍色布衣，在顛簸震動中，兩人都顯得又疲倦又緊張。

『冷嗎？雪珂？』亞蒙關懷的低下頭來，把棉氈子往上拉，試圖蓋住微微發抖的雪珂。他緊緊凝視著她，眼底是無盡的憐惜。『對不起，要妳跟著我受這種苦，可是，我們越走遠一點，就越安全一點，只要逃到天津，上了船，我們就眞正自由了，嗯？』他的手臂，牢牢的箍住了她，聲音低沉而充滿歉意的：『讓我用以後所有所有的歲月，來補償妳，報答妳對我的這片心！』

雪珂在棉氈下，找著了他的手，握緊，再握緊。

『爲什麼要這麼說呢？』她迎視著他的目光。『爲什麼要說補償、報答這種見外的話呢？我們已經是夫妻了，是不是？你是我的丈夫呀！天涯海角，我該跟著你走！』

是的，丈夫。

那天，在臥佛寺旁邊的小偏殿裡，翡翠把著風，他們兩個，沒有父母之命，沒有媒妁之言，沒有迎親隊伍，沒有花轎，沒有鳳冠霞帔，沒有爆竹煙火，只有兩腔熾熱的誠意，和生死不渝的愛情！他們雙雙一跪，先拜天地。

『我顧亞蒙，今天願娶雪珂爲妻，今生今世，此情永不改，此心永不變，皇天在上，后土在下，天地爲證，神明爲鑑！』他說。

『我——雪珂，今日願嫁亞蒙爲妻，今生今世，生相隨，死相從，皇天在上，后土在下，天地爲證，神明爲鑑！』她說。故意略掉了那冗長的姓氏。

說完，兩人磕下頭去，虔誠的拜了天地，再拜佛像，然後，夫妻交拜。

拜完，兩人眼裡，竟都閃著淚光。亞蒙將她的手一握，啞著嗓子說：

『從今以後，沒有什麼滿人漢人之分，沒有什麼格格平民之分，只有丈夫和妻子之分了！』

是的，只是丈夫和妻子之分了！這個從小就認識，卻生活在兩個孑然不同的世界中的亞蒙和雪珂，終於在彼此的誓言中，完成了他們自認爲最神聖的婚禮。

馬車忽然停了。

雪珂一震，整個人驚跳起來。

『怎麼停車了？怎麼停車了？』她驚慌的問。

『別慌，別慌！』亞蒙急忙拍撫著她。『到了一個驛站，車伕說牲口受不了，要吃點東西，休息一下。妳怎樣，要不要下車去走走，活動活動呢！』

『我不要，』她不安的說，隱隱的害怕著。爲什麼要停車呢？只有不停的飛奔才能逃離危險呀！『我就在車裡等著！』

『那麼，我去幫妳端碗熱湯來，好歹吃點東西！』亞蒙不由分說的跳下車子，向那簡陋的小木屋走去。

雪珂心中的不安在擴大。掀開車後的棉布帘子，她往外面望去。怎麼有一團雪霧夾著灰塵，風捲雲湧的對這兒翻滾而來？難道天上的烏雲會墜落到地上去嗎？那轟隆隆滾過大地的聲音是雷聲嗎？她定睛細看，心驚膽戰。

亞蒙端著碗熱湯過來了。

『剛熬出來的小米粥，還有兩個窩窩頭……』

『亞蒙！』雪珂顫聲喊：『快上車！快！』

亞蒙對遠方的隆隆聲看去，煙塵滾滾中，已看出是一隊人馬，正迅速如風的捲過來。

『車伕！車伕！』亞蒙放聲大叫，手中的小米粥窩窩頭全落了地。『你快出來，我們要趕路了！』

車伕沒出來，那隊人馬卻來得像閃電。

雪珂面如白紙，對正上車的亞蒙用力一推。

『亞蒙，快逃！你快逃！我爹，他追來了！他不會饒你的！你快躲到山裡去！去……去……』

『不成！』亞蒙大嚷：『我們都發過誓，生相從，死相隨，我們不能分開！』

亞蒙說完，一個飛躍，就上了馬車的駕駛座，一拉馬韁，馬鞭揮下，兩匹瘦馬，仰天長嘶了一聲，撒開四蹄，往前奔去。車伕聞聲奔出，大驚失色的喊著：

『哎哎！小兄弟！你回來！回來！你怎麼搶我的馬和馬車呀！』

亞蒙顧不得車伕，只是不停的揮鞭，瘦馬不情不願的往前奔著。雪珂在車內，緊抓著車槓，一面不住回頭張望，那隊人馬已越來越近，越來越近，越來越近……近得已經看到領先的那一馬一騎：頤親王親自追來了！他狂揮着馬鞭，那隻來自蒙古的黃驃馬又高又大，四蹄翻濺著雪花……

『亞蒙！來不及了！亞蒙……』雪珂喊著。

『追啊！』王爺馬鞭往前一指，隨從一湧而上。『給我把那輛馬車拉住！』

車在奔，馬在奔，距離越來越近。

終於，四匹快馬越過了馬車，幾個大漢直躍過來，伸手奪過馬韁，一切快得像風，像電，車停了，馬停了。

雪珂瞪大了眼睛，重重的喘著氣。

『唰』的一聲，馬車的帘子被整個扯落。

雪珂蒼白著臉，抬起頭來，看著面前那無比威嚴，又無比憤怒的臉孔，顫慄的喊出一聲：

『爹……』

頤親王府裡，這晚燈火通明。

侍衛紛站大廳四周，戒備森嚴，丫頭僕傭，一概不准進入大廳。廳內，王爺面罩寒霜，凝神而立。

地上，一排跪著三個人，雪珂，亞蒙，還有雪珂的奶媽——也就是亞蒙的生母——周嬤。雪珂臉色慘白，滿面風霜，一身荆釵布裙，看來既憔悴又消瘦。亞蒙神色凜然，年輕的臉龐上有著無懼的青春，雖然也是風塵僕僕，兩眼卻依然炯炯有神。而周嬤，她早已嚇得魂飛魄散，對她來說，整個世界粉碎也不會比現在這種局面更糟：天啊！她的獨生兒子亞蒙，竟敢拐帶頤親王府裡唯一的格格！天啊！這是誅滅九族的滔天大罪呀！

雪珂的生母倩柔福晉，手足失措的站立在王爺身邊，怎麼辦？怎麼辦？她望著地上那穿著破棉襖，繫著藍布頭巾的雪珂，她又驚又痛又害怕。這是她的雪珂嗎？她唯一的女兒！她最心愛的女兒！可能嗎？她凝視雪珂；這孩子才十七歲呀！怎會做出這麼驚天動地的事情來？雪珂看來好陌生，她直挺挺的跪著，大睜著一對燃燒般的眼睛。這對眼睛裡沒有害羞，也沒有後悔，只有種不顧一切的，令人心悸的狂熱。

廳內有五個人，卻無比的寂靜。

忽然間，『唰』的一聲，王爺拔出腰間長劍。

劍一出鞘，室內的四個人全都一震。王爺殺氣騰騰的瞪著亞蒙，咬牙切齒的說：

『顧亞蒙！今天我不把你碎屍萬段，實在難洩我心頭之恨！你小小年紀，好大的狗膽！』

亞蒙還來不及說什麼，周嬷已連滾帶爬的撲過去，攔住了王爺，她如搗蒜般的磕下頭去，淚水瘋狂的爬了滿臉，她顫慄的嚷著：

『王爺開恩，王爺饒命！亞蒙帶格格私奔，自是罪該萬死，但是，請您看在我身入王府，十幾年來的情分上，饒他不死吧！王爺！王爺！』她死命拽住王爺的衣袖，泣不成聲了。『顧家只有亞蒙這一個兒子，求求您，網開一面，給顧家留個後，如果你一定要殺，就殺了我吧！都是我教導無方，才讓亞蒙闖下這場大禍！』

『不！』跪在地上的亞蒙，突然激動的昂起頭來，傲然的大聲說：『一切與我娘沒有關係，她完全不知情！請王爺放掉我娘，我任憑王爺處置……』

『你還敢大聲說話！』王爺怒吼，瞪視著亞蒙：『你勾引格格，讓我們頤親王府，蒙上奇恥大辱，你們母子兩個，我一個也不饒！』

王爺舉劍，福晉淒然大喊：

『王爺！手下留情啊！』

說著，福晉忘形的，急忙雙手去握住王爺的手。

『妳攔我怎的？』王爺甩開福晉，大吼著說：『他毀了雪珂的名節，消息傳出去，讓羅家知道了怎麼辦？明年冬天，雪珂就要嫁進羅家了呀！』

王爺越說越氣，提起劍來，就對亞蒙刺去。雪珂大驚失色，想也不想合身一撲，緊緊抱住了亞蒙。王爺嚇得渾身冷汗，在福晉、周嬤、亞蒙同聲驚喊中，硬生生抽劍回身，雖是這樣，已把雪珂的棉襖劃破，露出裡面的棉胎。雪珂一抬頭，大眼睛直盯著王爺，淒烈的喊：

『爹要殺他，得先殺了我！』

王爺又驚又怒，劍是抽回來了，氣憤卻更加狂熾，一抬手，他用手背，對雪珂直揮過去，『啪』的打在她面頰上。力道之猛，使她摔滾在地，半天都動彈不得。

『不知羞恥！妳氣死我了！』

『王爺！』亞蒙情急的大喊：『所有的錯，都是我一個犯的，請不要傷了雪珂！』

『王爺王爺！』福晉哭著去抓王爺的衣袖。『要殺雪珂，不如先殺我！』

『王爺啊！』周嬤更是磕頭不止，淚如雨下：『讓我這個老太婆來頂一切的罪吧！我已經活到四十五歲，死了不足惜，格格和亞蒙，他們還年輕呀！』

『夠了！』王爺大喊：『都給我住口！』

大家都住了口，王爺盯著亞蒙，目眥盡裂。雪珂見王爺眼中，殺氣騰騰，再也按捺不住，忍耐著面頰的疼痛，她爬了過來，雙手緊緊握住父親持劍的手，悲切的喊：

『爹，請你聽我說，我和亞蒙，已經成親了呀！』

『一派胡言！』王爺更怒了。

『眞的，爹！我們在臥佛寺裡拜了天地，有菩薩作爲見證！我們是眞心誠意的結婚了！或者，這個婚禮是你無法承認的，但是，對我們而言，它比任何盛大的婚禮都更加神聖！亞蒙，他是我今生唯一的丈夫了！』

『胡說八道！』王爺怒喊，簡直感到不可思議。『妳瘋了嗎？妳貴爲皇族，身爲格格，已經訂了婚約，妳居然會受一個下等人的愚弄和欺騙！妳……怎麼如此自甘下賤！』

『不！不是這樣！』雪珂嚷著。『他不是下等人，他是我的丈夫！爹，娘，你們的心難道不是肉做的嗎？請你們成全我們吧！你們必須這麼做，因為我已經沒有退路，我再也不能嫁給羅家了，我……』雪珂深抽了口氣，鼓足勇氣嚷了出來：『我已經懷了亞蒙的孩子！』

『哐噹』一聲，王爺手中的長劍落地。踉蹌後退，他跌坐在椅子裡，雙眼都瞪直了。

福晉駭然，周嬤也呆住了。

半晌，王爺跳了起來，紛亂的大喊：

『來人！來人呀！給我把周氏母子，給關進黑房裡去！翡翠，秋棠，蘭姑，妳們把雪珂押回臥房裡，守住房門，一步也不許她跨出去！』

雪珂哭了一夜，到早上，淚已流乾，筋疲力盡。秋棠蘭姑緊守著房門，翡翠衣不解帶的在床邊服侍著，眞心實意的勸解著：

『格格，事已至此，一切要為大局想呀！王爺這麼生氣，只怕會傷了周嬤和亞蒙少爺……現在，妳不能再一味的強硬下去，好歹要保住亞蒙少爺母子的性命，才是最重要的事！』

『是啊！翡翠！』雪珂心碎神傷，六神無主。『我知道，我都知道，但是，怎樣才能保全他們呢？』

『去求福晉呀！』

『我連房門都出不去，怎麼見得到我娘呢？』雪珂想了想，忽然握住翡翠的手，急促的說：『妳去！妳去找我娘來，妳去跟她說，念在十七載母女之情的份上，請她務必要來這兒，務必要救救我……』

雪珂話還沒說完，房門忽然開了，雪珂抬起頭來，只見王爺和福晉沉著臉，大踏步的跨進門來。在王爺身後，緊跟著一個陌生的老太婆，老太婆手中，捧著一碗兀自冒著熱氣的藥碗，一步一步的向雪珂逼進。

雪珂一看這等架式，心裡就什麼都明白了。

『不！』雪珂狂喊，跳下床來，往門口沒命的奔過去，想奪門而出。

『給我抓住她！』王爺怒吼，一個箭步，已搶先將房門關住，上栓。『把藥給我灌進去！』

秋棠和蘭姑，一左一右架住了雪珂，老太婆端著碗過來，陰柔柔的說：

『把這藥喝下去，十二個時辰以內，胎就下掉了，不會疼的！一切包在我身上……』

『不！不！不！』雪珂瘋狂般的掙扎著，喊叫著：『娘！娘！讓我保有這個孩子，娘！娘！我要他，我愛他呀……娘！娘！……』

福晉抖顫著，淚落如雨。

『孩子呀！爲了妳的名節，這是必走之路呀！』

『給我扳住她的頭！快呀！』王爺厲聲喊，見到秋棠和蘭姑制服不了雪珂，氣得大踏步上前，一伸手就捏住了雪珂的下巴，另一手，搶過老太婆手中的碗，他開始把藥汁強灌進雪珂嘴裡。

『喝！喝下去！喝！』他大聲喊著。

雪珂死命閉住嘴，咬緊牙關，仍做著最後的掙扎，藥汁流了她一臉一身。

『翡翠！』王爺喊：『妳給我扳開她的嘴！』

『是！』翡翠渾身發抖的上前，去扳雪珂的嘴，王爺再倒藥，翡翠卻忽然鬆手，雪珂趁勢，一個大力掙扎，頭用力一甩，硬把王爺手中的碗，給打落在地。『哐啷啷』一陣響，碗碎了，藥汁流了一地。

『翡翠，妳好大的膽子！』王爺怒喊。

翡翠跪下去了，淚水奪眶而出。

『奴才該死！從小侍候格格，就是不曾做過這樣的事……奴才手也軟脚也軟，眞的做不下去呀！』

『再去熬一碗來！』王爺抓住老太婆往門外推。『快去！快去！』

『站住！』雪珂驀的大聲一吼，滿屋子的人都震動了。雪珂面如死灰，烏黑的眼珠，閃著懾人的寒光。『不必這麼費事，我自行了斷就是了！』

雪珂抓起地上的破碗片，就往脖子裡抹去。

『格格呀！』翡翠驚喊，沒命的就去搶碎片。

『雪珂呀！』福晉也喊，滿屋子的人全撲上去，拉手的拉手，拉胳膊的拉胳膊，搶破片的搶破片。到底人多，終於把碎片從雪珂手中挖了出來。

雪珂眼見抹脖子抹不成，又陡的摔開衆人，直奔窗口，把窗一推，就想跳樓。

『雪珂！』王爺又驚又怒又心痛，攔窗而立，顫聲大喊：『妳到底要怎樣？已犯下大錯，卻不讓我們幫妳解決！妳這一輩子，到底要怎樣？』

『讓我跟亞蒙走吧！』雪珂跪倒在王爺面前。『你殺了亞蒙，或殺了我的孩子，我都無法活下去！你爲什麼不成全我們？我們一定走到很遠很遠的地方去，隱姓埋名，永不回北京城……』

『住口！』王爺瞪著雪珂，一個字一個字的說：『妳已許配羅家，這婚事不是妳一個人的事，是兩個家族的事！明年冬天，妳一定要嫁到羅家去！妳想死，還沒有那麼容易！』

王爺說完，拂袖而去，剩下心碎腸斷的雪珂，和驚魂未定的福晉。

夜半，福晉進了雪珂的臥房，摒退了下人，福普坐在雪珂床邊，緊緊握住了她的手。

『雪珂，』福晉含淚說：『我終於說服了妳爹，咱們不強迫妳，允許妳把孩子生下來……』

雪珂震動的看著母親，全然不能相信自己的耳朵。

『同時，』福晉繼續說：『也免了周氏母子的死罪！』

『娘！』雪珂驚喊著，滿眼眶的淚。『我知道妳會幫我！我一直就知道！妳一定會盡全力來救我！』

『不過……死罪雖免，活罪卻不能免！』

雪珂臉色驟變。

『那……那要怎樣呢？』

『顧亞蒙充軍邊疆，周嬤要逐出王府！』

雪珂怔怔的看著福晉。

『雪珂，』福晉懇摯的說：『妳知道妳爹的脾氣，從小到大，妳但凡小差小錯，妳爹從不會計較，但是，這次，事情實在太嚴重了！妳爹即使不懲罰妳，他也絕不會放過亞蒙的！妳心裡也明白，只要給妳爹抓到，亞蒙就等於判了死刑了！』

雪珂凝視著福晉，默然不語。

『所以，妳不要以爲充軍很委屈，要說服妳爹，饒他們不死，我已經費盡心力了！但是，妳要答應妳爹三個條件！』

『還有三個條件？』

『當然。妳以爲妳爹那麼容易放掉亞蒙嗎？』福晉緊盯著雪珂。『第一，妳發誓再不尋死！第二，孩子一落地，由娘做主，連夜送出府去，妳不得過問他的下落，從此斬斷關係！第三，妳與羅家的親事，必須如期舉行！』

雪珂深深吸了口氣。

『如果我不依呢？』她問。

福晉面色慘然，從懷裡取出一條白綾。

『如果不依，我們就讓這條白綾，把一切都結束吧！』福晉抬頭，望望那雕刻著仙鶴和雲彩的橫樑。『妳離開亞蒙和孩子，如果妳覺得生不如死，那麼，我告訴妳，我失去妳，也生不如死！我嫁到王府來十八年，未曾有過兒子，我只生了妳這一個女兒。十八年來，我依賴著我對妳的愛，和妳爹對妳的愛來生存。現在，我必須要面對失去妳，又要面對失去妳爹，那麼，孩子，讓我們娘兒兩個，一起死吧！』淚水沿著福晉的臉龐，不斷的滾落，她的聲音，已泣不成聲。『我不能眼睜睜送妳的終，讓我先嚥了這口氣，妳再隨我來吧！』

說完，福晉把白綾往樑上套去。雪珂這一下，完全驚呆了，撲過去，雙手緊緊扯住白綾，她哭著大喊：

『娘！娘！娘！我雖已不孝透頂，但，我不能逼您死！娘！娘！妳要我怎麼辦？怎麼辦？』

『依了娘吧！』福晉一邊哭，一邊擁著雪珂：『讓我們大家都活著——留得青山在，不怕沒柴燒。不是嗎？』

雪珂心中一動。

『娘，我已非完璧，怎能再嫁入羅家呢？』

『這個……娘自有計策，孩子呀，自古宮闈之中，都有一套方法，妳先不要操心，這件事，我當然會幫妳遮掩的！就是府裡這些侍衛丫頭，也會牢守祕密的，說出去都是殺身之禍呀！』

雪珂淚眼看福晉，到這時，眞覺得五內俱傷，走投無路。自己一死不足惜，連累的卻是母親、亞蒙、周嬤和腹內那未出世的孩子！雪珂柔腸百折，五臟六腑，都痛成一團，噓了一口大氣，她咬咬嘴唇，掉著淚說：

『要我依這三個條件，除非……』

『除非什麼？』福晉問。

『除非讓我再見亞蒙一面！』

福晉深深看著雪珂，沉吟片刻，毅然起身。

『好！我就讓你們再見一面！』

夜深人靜，月明星稀。

亞蒙和雪珂，就著月光，在涼亭中見了最後一面。侍衛押著亞蒙。蘭姑、翡翠、福晉押著雪珂。兩人隔著石桌石椅，就著月光，彼此深深的、深深的互相凝視。兩人都淚盈於眶，兩人都哽咽而不能語。雪未融，風未止，涼亭裡夜寒如水。

『亞蒙，』雪珂終於開了口。『我要你一句話！』

『妳說！』

『我是該苟延殘喘的活著？還是該——從一而終的死去？』

亞蒙緊閉了一下眼睛，再睜眼時，雙眸炯炯，如天際的兩點寒星。

『活著！』他有力的說：『只有「活著」，才有「希望」！雪珂，為我——活著！』

『可是，活著，是要付代價的！』

『我知道！』亞蒙說，貪婪的緊盯著雪珂。侍衛環立，千言萬語，竟無法傳達。空氣裡，飄著淡淡的蠟梅香。福晉拉了拉雪珂的衣袖。

『時辰到了！快走，給妳爹發現，大家都活不成！』

侍衛拉住亞蒙，不由分說的往涼亭外拖去。

雪珂的眼光，死死的纏著亞蒙。

『楓葉經霜才會紅，梅花經雪才能香！』亞蒙啞聲說。『雪中之玉，必能耐寒！』

亞蒙被拖走了。

『雪中之玉，必能耐寒！』雪珂咀嚼著這兩句話。淚水，被凍成冰珠，凝聚在衣襟上。雪中之玉，正是『雪珂』二字，『必能耐寒』！亞蒙亞蒙，雪珂心中輾轉呼號：我知道了！我懂了！以後，不管歲月多麼艱辛，不管自己將變成怎樣：我將爲你，忍耐雨露風霜！但願上天有德，彼此有再相逢之日。

以後，在雪珂無數辛酸的日子裡，她總是記得亞蒙最後這幾句話：楓葉經霜才會紅，梅花經雪才能香！雪中之玉，必能耐寒！

2

第二年，六月初十的深夜，雪珂生下了一個嬰兒。

頤親王府中，那夜又是戒備森嚴，雪珂房中，只有產婆、福晉和蘭姑。連雪珂的心腹翡翠，都被遣離。

雪珂經過了十二個時辰的掙扎。痛楚幾乎把她整個人都撕裂了。原來，生命的喜悅來自如此深刻的痛苦！她以爲這痛苦將會漫無止境了，她以爲她會在這種痛苦中死去。但是，她沒有死，就在一陣驚天動地的大痛以後，她聽到的是嘹喨的兒啼聲。

『咕呱！咕呱！咕呱……』孩子哭著。世界上怎有如此美妙的聲音呢？雪珂滿頭滿臉的汗，滿眼眶裡綻著淚，對福晉哀求的伸出手去。

『讓我看一看！快告訴我，是男孩還是女孩？』

『抱走！』福晉對產婆簡短的說了兩個字。

『是！』產婆用襁褓裹住嬰兒，轉身就要走。

『娘！娘！』雪珂淒然大喊：『最起碼讓我見他一面！一面就好！』

『不行！要斷，就要斷得乾乾淨淨！』

『娘，娘！』雪珂情急的想翻下床來。『妳也是做娘的人呀？妳怎麼能這樣狠心呢？我答應妳，我以後再也不問這孩子的事，但是，求妳在抱走以前，讓我看看他！就只看一眼，一眼就好！』

福晉心頭一熱。

『好吧！就只許看一眼！』福晉對產婆說：『抱過來！』

產婆把嬰兒抱到床邊來，伸長手臂，讓雪珂看。

雪珂撐起身子，貪婪的看著那嬰兒，初生的孩子有紅通通的臉，蠕動的小嘴。眉清目秀，眼睛閉著，細細長長的一條眼縫，有對大眼睛呢！雪珂想著，長大了，會和亞蒙一樣漂亮吧？是男孩還是女孩呢？手和脚都健康吧？她伸出手去，想找尋嬰兒在襁褓中的手脚，摸一下，摸一下就好……福晉及時把襁褓一托，大聲說：

『行了！快走！』

產婆抱著嬰兒，快步離去。雪珂一陣心慌，徒勞的伸著手，悲切的喊著：

『讓我再看一眼，再看一眼……』

『雪珂！』福晉握住雪珂伸長的手。『妳明知道今生今世，妳再也看不到這孩子了，妳就當作根本沒生過這孩子，別再看，也別再問，連他是男是女，妳都用不著知道！』

產婆抱著嬰兒，已然疾步離去。雪珂心中一陣抽痛和恐懼，驀的反手抓住了福晉，哀聲的，急切的說：

『娘！我答應妳，從此不問這孩子的下落，也不問這孩子是男是女，但是，請妳一定，一定要答應我一件事：讓這孩子活下去！給他一個生存的機會，妳把他送給老百姓，送到教會，送到廟裡……無論妳送到那裡都好，只是，別扼殺了他的生命！』

福晉心中一動。雪珂啊雪珂，她實在是冰雪聰明，她已經完全瞭解，王爺不準備留活口的決心。她瞪著雪珂，雪珂一看福晉的眼神，心中更慌，她推著福晉：

『娘，我給妳磕頭！』她在枕上磕著頭：『那孩子身上，不止流著我的血，也流著娘的血呀！

他是您嫡嫡親的外孫呀！』

福晉一言不發，站起身來，匆匆追出門外去了。

從此，雪珂沒有再問過孩子的事，福晉也沒說過有關孩子的事。王爺心中篤定，以爲那孩子早就『處理』掉了。

雪珂的孩子，就像她那個廟中拜天地的丈夫一樣，在她生命裡刻下最深的痕跡，卻像閃電般迅速，閃過了光，就此無蹤無影。

那年冬天，雪珂在盛大的宮廷禮儀中，嫁入了羅家。

婚禮壯觀到了極點。在彩衣宮女舞衣翩飛之下，迎親隊伍跨越了兩條街，花轎上紮滿了彩球珠花，雪珂鳳冠霞帔，珠圍翠繞，前呼後擁的上了花轎。一片吹吹打打，鑼鼓喧天，鞭炮震耳欲聾。翡翠以賠嫁丫頭的身分，也是一身珠翠，扶著轎子，主僕二人，無比風光的進入了羅家。但，在內心深處，主僕二人，卻都各懷心事，忐忑不安。

拜完天地，拜完高堂，夫妻交拜，送入洞房。

晚上，紅燭高燒，這是洞房花燭夜。

羅至剛喝了很多酒，但是，絕對沒有醉。他今年才十九歲，比新娘子只大一歲。終於，娶了一個格格當新娘！羅至剛志得意滿，頤親王府的小格格！訂婚前，母親特地去王府裡探視了一番，回來就誇不絕口：

『那小格格，眼珠烏溜溜的黑，皮膚嬌嫩嫩的細，活脫一個美人胎子！見了人也不藏頭藏尾，又大方又文雅，有問有答。畢竟是個格格，教養得眞好呢！』

羅至剛從十六歲，就知道將來要娶格格爲妻。這並不是羅家第一次和王室聯姻，至剛的祖父，也娶了靖親王府裡的第十一個格格，羅家與王室，正像富察氏、鈕祜祿氏一樣，和王室關係一直密切。也因爲這層關係，羅家世代，在朝廷中身居要職，曾祖父那代，更在承德置下偌大產業，每當夏天，就陪著皇上，去避暑山莊接見塞外使節。

羅家是世家。羅至剛從小，接受武官教育，騎馬射箭，刀槍兵法，無一不通。雖然詩書也讀了不少，到底年輕，卻更加喜歡武術。軍式教育下的羅至剛，是率直而帶點魯莽的，天眞而帶點任性的。在他洞房花燭夜之前，雖然正是國家多難，滿洲王朝岌岌可危的那年，但，對年輕而養尊處優的羅至剛來說，生命裡幾乎是完美無缺的！

但是，他娶了雪珂爲妻，他所有的不幸，都是從洞房花燭夜開始的！

那晚，在喜娘們的簇擁下，他挑開了蓋在雪珂頭上的喜帕。仔細的審視了他的新娘。

雪珂垂著眼端坐著，安靜，肅穆，不言不笑。

好美的新娘！羅至剛心裡怦然而跳。母親沒有騙他，這位格格明眸皓齒，沉魚落雁！至剛心中歡快的唱著歌，腦子裡已經暈陶陶得不知東南西北。喜娘笑嘻嘻嚷喊著：

『請新郎新娘喝交杯酒！』

至剛喜孜孜的笑著，和雪珂喝了交杯酒。

『奴婢們告退了！』喜娘們請安告退。

『拜見羅少爺！』一個標致的丫頭上前，跪下去就磕頭：『我的名字叫翡翠，是侍候格格的！我也告退了！』

翡翠看了雪珂一眼，和衆喜娘一起退下。

室內紅燭高燒，剩下了一對新人。

雪珂心裡怦怦跳著，手心裡沁出了汗珠。雖然是冬天，她卻一直在冒著汗。偷眼看至剛，一張年輕的，帥氣的，未經事故的臉。興沖沖的，帶著微笑，也帶著緊張和窘迫。她的新郎，雪珂心中驀的一陣絞痛，烈女不事二夫！她已經和亞蒙拜過天地，怎能又有第二個新郎？

她伸手，摸了摸腰間的錦囊。這是福晉左叮囑右叮囑，親手交給她的。她再悄眼看喜床，紅緞被單下，隱隱透出一段白色，順著床單往下看，那段白緞子的下角，繡著鴛鴦戲水圖。這片墊在薄薄床單下的白色喜帶，將要出示一個新娘的貞節！

紅燭爆了一下喜花，至剛伸手，去輕扶雪珂的肩。

雪珂被這輕觸而震動了，她很快的掃了至剛一眼。這張天真而又稚氣未除的臉孔下，一定有顆熱情而瞭解的心吧！她深吸了口氣，忽然下定了決心，咬咬牙，她的身子一矮，就對他直挺挺的跪了下去。

『妳……妳這是做什麼？』至剛大驚。

『對不起，』雪珂的嘴唇抖顫著。『我必須向你坦白一件事！』

『什麼？什麼？』至剛實在太吃驚了。母親根本沒教過，新娘怎會下跪呢？

雪珂心一橫，從懷中掏出了那個錦囊。

『這是我母親為我準備的，裡面是一個小瓶子，』她取出一個綠玉小瓶，那瓶子好小好小，像個小鼻煙壺一般。『這瓶子只要輕輕一按，蓋子就開了……』

至剛糊糊塗塗的聽著，完全大惑不解。

『這瓶子裡裝著的東西……』雪珂低低的，羞慚的，礙口的，卻終於坦率的說了出來。『和落紅的顏色一模一樣，可以證明我的貞操……』

至剛大大一震。落紅！這回事他知道，羅府的少爺，這種教育和知識，早就有了。他緊盯著雪珂，更加困惑了。

『我可以遵照我娘的指示，在適當的時機，打開瓶蓋，一切就都遮掩過去了……』雪珂正視著至剛，緩慢的，清楚的說：『但是，我不能這麼做！我不想欺騙你，更不能對另一個人不忠……』

至剛太驚愕了，把雪珂用力一推，大聲的問：

『妳到底在說些什麼？』

『我……我不能騙你！我是成過親的！只是我爹娘把我們拆散了，在你以前，我已經有了一個丈夫……』

羅至剛目瞪口呆，就是有個雷劈在他面前，也不會帶來這麼大的震動。這完全出乎他能夠處理的範圍，他呆呆站著，雪珂還在訴說什麼，但是，那聲音已變得飄忽，他不能聽，他不想聽……他的新娘，他的格格，怎會這樣呢？驀然間，他對室外衝去，直奔父母的臥房，他那淒厲的喊聲，震盪在整個迴廊上：

『爹！娘！這個婚禮不算數！我不要……我不要……爹，娘，你們害慘了我……害慘了我呀……』

王爺和福晉，是連夜被羅大人夫婦請進羅府來的。

羅府的大廳中，依然紅燭高燒。在正牆前面，有個小几，几上一塊白色的方巾遮住了下面的東西。雪珂就跪在這小几的前方。

王爺瞪視著雪珂，氣得渾身發抖。大踏步走上前，他對著她，就一脚踹過去，痛罵著說：

『早知道，不如讓妳抹了脖子跳了樓，死了乾淨！妳就這樣子辜負父母的一片心！』

『哈，哼！王爺！』羅大人面罩寒霜，冷哼著說：『都是爲人父母，都有一片心呀！這樣的女兒，你嫁入我家大門，要我們這做父母的，對至剛如何交代？』

王爺一震，羞慚得無地自容。

至剛急急走上前去，對父母說：

『爹，娘！這種媳婦我不要了，你們快讓王爺把她帶回家去吧！我們把她休了吧！』

雪珂神色慘然，對羅大人和夫人深深的磕下頭去。

『雪珂以待罪之身，聽憑你們發落！』

『發落！言重了！』羅夫人冷冷的說，怒瞪著雪珂，這個讓他們全家蒙羞的小女子，她恨不能剝她的皮，吃她的肉！這一生，她沒受過這麼大的羞辱！這個媳婦兒，還是她親自去鑑定過的呢！『妳巴不得我們休了妳，對不對？』她怒聲問：『妳既然敢在洞房花燭夜，說出眞相，想必，妳已經豁出去了，如果我們休了妳，就正中妳的心意，從此，妳就可以爲妳那個名不正、言不順的情夫，守住身子了，是也不是？』

雪珂一驚，不由得抬頭看了羅夫人一眼，她接觸到一對無比銳利又無比森冷的眼光，她不禁打了個寒戰，這個女人，她已經洞悉了她的居心！

『親家母，』福晉心慌意亂的開了口：『這件事，實在是讓我們兩家，都無比的尷尬。說來說去，都是我這做母親的教導無方，才讓雪珂犯下大錯！但如今事過境遷，那周嬤母子，都已被放逐塞外，等於不存在的人了。那麼，不知道你們能不能寬大爲懷，原諒我們做父母的，出於善意的欺瞞……』

『福晉！』羅大人打斷了福晉的話：『對你們而言，雪珂的不守婦道，早已「事過境遷」，對我們而言，卻是「事到臨頭」，你們的欺騙，不論是什麼出發點，我們都沒有義務來承擔！』

『好了！我知道了！』王爺怫然的回過身子來。『雪珂，我們帶回家去就是了！』

『慢著！』羅夫人往前跨了一步。『雪珂既然已嫁入我們羅家，也無法再讓你們帶走！』

『那妳要怎的？』王爺問。

『王爺！』羅夫人正色說：『你不想想，今日這場婚禮，是怎麼樣的排場！整個北京城，都知道羅家和頤親王府結了親家，從皇室到百官，賀客盈門……這樣的婚禮之後，我們羅家，再說媳婦犯了七出之條，對我們也是顏面盡失！王爺！這種丟臉的事，我們羅家丟不起！』

『那麼，妳到底要怎樣？』

『雪珂留下！』羅夫人陰沉沉的說：『既然已行婚禮，就算我們家的媳婦！從今以後，你們王府，別說我們待媳婦兒有什麼不周的地方！至於雪珂，』羅夫人走到雪珂面前，雙目如同兩把冰冷的利刃，直刺向雪珂：『妳給我聽著，今兒個羅家容下妳，是情非得已，嚥下妳所帶來的恥辱，更是情迫無奈！過去，妳有父母爲妳一手遮天，而今而後，我可不容許妳再有絲毫差錯！』

『不！娘！』至剛激動的往前一衝。『我不要她！我要休了她！她是個不貞不潔不乾淨的女人！我受不了這種侮辱！這對我太不公平了！』

雪珂面容慘白，眼神慘淡，默然不語。

『至剛！』羅大人聲色俱厲：『你娘說得對！我們羅家丟不起這種臉！這媳婦兒你不要，我們也得留著！至於你的委屈，我們自會爲你補償！以後，你就是三妻四妾，我想王爺和福晉也不會有意見的！』

王爺深抽了口氣，瞪視著雪珂。驟然間，他覺得有股寒意，直襲心頭，他幾乎已看到雪珂那必須面對的未來。他還來不及再說什麼，羅夫人已把雪珂的胳臂一把拉住：

『過來，』她厲聲說。

雪珂膝行著，被拖到小几前面。羅夫人把几上的方巾用力掀掉，裡面赫然是一把亮晃晃的匕首。

『現在，妳必須當著妳的父母，和咱們一家人面前，自斷小指，立下血誓，從此對過去之事，三緘其口，對未來的日子，恪守婦道！』

福晉嚇壞了，一個箭步撲到桌邊。

『什麼？自斷小指？那又何必？雪珂發誓就是了，何至於一定要她自殘身體……』

『這是我們羅家的規矩！』羅大人冷峻的說：『國有國法，家有家規！』

羅家父母的每一句話，都和面前的匕首一樣鋒利。『坦白』帶來的屈辱，原來是這般強大！雪珂睜大了眼睛，死吧！她想著，只要把這匕首當胸一刺，就一了百了了！可是，她的耳邊，卻響起了亞蒙低沉而有力的聲音：

『楓葉經霜才會紅，梅花經雪才會香！雪中之玉，必然耐寒！』

雪珂一把抓起了匕首，不能死！她抬頭挺胸，毅然說：

『雪珂立下血誓，從今以後，將對自身恥辱三緘其口！並恪遵婦道，若違此誓，便如此指！』

雪珂說完，一刀往小指上剁去。

徹骨的痛，使雪珂慘叫一聲，暈死過去。

這自斷小指的一幕，在以後很多的日子裡，都困擾著至剛，而且，在他眼前不斷的重演。雪珂那蒼白的臉，那黑不見底的眼睛，那慘淡的神情，那幾乎稱得上是『壯烈』的舉動……一個弱女子，竟能將左手小指從第一個關節，硬生生砍了下來……是什麼力量，讓她做到的？是什麼力量，讓她在新婚之夜，居然敢承認自己的不貞？

爲什麼要承認呢？至剛想不明白。卻越想越感到挫敗，越想就越對雪珂生出一種近乎痛苦的恨。恨她的坦白，恨她的誠實，恨她有斷指的勇氣，更恨她……是了，更恨她因此而保護了自己——使他退避三舍以外，根本不願對她染指！

但是，她是他的妻子呀！

爲什麼要承認呢？就爲了躲避他嗎？爲什麼要躲避他呢？因爲要對另一個男人守身嗎？一次又一次的自問，使這個才十九歲的少年妒火狂熾。恨透了雪珂！眞恨透了雪珂！

婚後三個月，一天夜裡，至剛喝得醉醺醺的，撞進了雪珂的臥房。

『少爺！』翡翠驚喊，像守護神似的站在雪珂床前。『你要做什麼？』

『滾出去！』至剛狂暴的把翡翠推出了房門。

雪珂從床上坐起來，發出一聲驚喊，反射般的用棉被遮在胸前。這個舉動，使至剛更加怒不可遏了，他伸出手去，一把就扯掉了那棉被。

『我眞恨妳！我眞恨妳！』他一疊連聲的嚷著。『妳爲什麼不用妳娘的法子，妳爲什麼要說出來？那個人，他究竟有多麼好？値得妳這樣爲他豁出去？妳告訴我！妳告訴我！』他瘋狂的抓住她的肩，瘋狂的搖撼著她。

『對不起……』雪珂顫抖的說，試著想擺脫他。『眞對不起你！請你放開我，我願意當你的丫頭……』

『妳不是我的丫頭，妳是我的妻子！』

『不不，』雪珂昏亂的說：『不是的……』

『啪』的一聲，他給了她一耳光。

『妳寧願不是的！對不對？妳寧願做丫頭也不做我的妻子，對不對？我偏不讓妳稱心如意，我偏不讓妳達到目的！妳已經擾亂了我的生活，破壞了我的快樂，妳使我這麼痛苦，這麼恨！我從沒有恨一個人像恨妳這樣！我眞恨妳，我眞恨妳，我眞恨妳……』

他一面叫著嚷著，一面佔有了她。

雪珂咬著牙，承受了一切。淚，迷離了她所有的視線。內心深處，只有無窮無盡的痛。

第二天，她和翡翠去了臥佛寺。

跪在菩薩面前，她沉痛的說：

『菩薩，你是我的見證。我沒能爲亞蒙守身如玉！往後，還不知有多少艱難的日子，必須一日一日挨下去！菩薩，請把我的思念轉達給亞蒙，請他給我力量。告訴他，告訴他……忍辱偷生，只爲了「希望」，希望有朝一日，能夠再見！告訴他，告訴他，不管怎樣，我沒有一天一刻，忘記過他……』

雪珂說著，哭倒在地。匍匐在佛像前。

翡翠跪在一邊，淚，也爬了滿臉跟著匍匐下去。

3

楓葉紅了一度又一度，梅花開了一年又一年，春去秋來，時光如流，八年，就這樣過去了。

八年，足以改變很多的東西。滿清改成了民國，一會兒袁世凱，一會兒張勳，一會兒段祺瑞，政局風起雲湧，瞬息萬變。民國初年，政治是一片動盪。不管怎樣，對頤親王爺來說，權勢都已消失，唯一沒失去的，是王府那棟老房子，關起了王府大門，摘下了頤親王府的招牌……王爺只在圍牆內當王爺，雖然丫環僕傭，仍然環侍，過去的叱吒風雲，前呼後擁……都已成爲了過去。

對雪珂來說，這八年的日子，是漫長而無止境的煎熬。羅大人在滿清改爲民國的第二年，抑鬱成疾，一病不起。羅家的政治勢力全然瓦解，羅夫人當機立斷，放棄了北京，全家遷回老家承德，鼓勵至剛棄政從商。幸好家裡的經濟基礎雄厚，田地又多，至剛長袖善舞，居然給他闖出另一番天下，他從茶葉到南北貨，藥材到皮毛，什麼都做，竟然成爲承德殷實的巨商。

不管至剛的事業有多成功，雪珂永遠是羅夫人眼中之釘，也永遠是至剛內心深處的刺痛。到承德之後，至剛又大張旗鼓的迎娶了另一位夫人——沈嘉珊。嘉珊出自書香世家，溫柔敦厚，一進門，就被羅夫人視爲眞正的兒媳，進門第二年，又很爭氣的給至剛生了個兒子——玉麟，從此身價不同凡響，把雪珂的地位，更給擠到一邊去。雪珂對自己的地位，倒沒什麼介意，主也好，僕也好，活著的目的，只爲了等待。但是，年復一年，希望越來越渺茫，日子越來越暗淡。從滿清到民國，政府都改朝換代了，當初發配邊疆的人犯，到底是存是亡，流落何方？已完全無法追尋了。雪珂每月初一和十五，仍然去廟裡，爲亞蒙祈福，但，經過這麼些年，亞蒙活著，大概也使君有婦了。當初那段轟轟烈烈的愛，逐漸塵封於心底。常讓她深深痛楚的，除了至剛永不停止的折磨以外，就是玉麟那天眞動人的笑語呢喃了。她那一落地，就失去蹤影的孩子，應該有八歲了，是男孩？是女孩？在什麼人家裡生活呢？各種幻想纏繞著她。她深信，福晉已做了最妥善的安排。八年來，母女見面機會不多，搬到承德後，更沒有歸寧的日子，福晉始終死守著她的祕密，雪珂也始終悲噈著她的思念。就這樣，八年過去，雪珂已經從當日的少女，變成一個典型的『閨中怨婦』了。

楓葉又紅了，秋天再度來臨。

這天黃昏，有一輛不起眼的舊馬車，慢吞吞的走進了承德城。承德這城市沒有城門，只在主要的大街上，高高豎著三道牌樓，是當初皇室的標誌。遠遠的，只要看到這牌樓，就知道承德市到了。

馬車停在第一道牌樓下，車伕對車內嚷著：

『已經到了承德市了！姥姥！小姑娘！可以下車了！』

車內跳出一個衣衫襤褸的小女孩兒。個兒太小，車子太高，女孩兒這一跳就摔了一跤。

『哎哎！小姑娘，摔著沒有？』車伕關心的問。

『噓！』小女孩把手指放在唇上，指指車內，顯然不想讓車裡的人知道她摔了跤。雖是這樣，車裡，一個白髮蒼蒼的老婦人已急忙伸頭嚷著：

『小雨點兒，妳摔了？摔著哪兒了？』

『沒有！沒有！』那名叫小雨點的孩子，十分機靈的接了口。『只是沒站好而已！』她伸手給老婦人。『奶奶，這車好高，我來扶妳，妳小心點兒下來，別閃了腰……』

老婦人抓著小雨點的手，傴僂著背脊，下了車。迎面一股瑟瑟秋風，老婦人不禁爆發了一陣大咳，小雨點忙著給老婦拍著背，老婦四面張望著，神情激動的說了一句：

『承德！總算給咱們熬到了！』

『姥姥！』車伕嚷著：『天快黑了！你們趁早尋家客棧落腳吧！這兒我熟的，沿著大街直走，到了路口右邊兒一拐，有一間長昇客機，價錢挺公道的！』

『謝謝啊！』老婦牽起小雨點的手，一步步往前慢慢走去。眼光向四周眺望著，承德，一座座巍峨的老建築，已刻著年代的滄桑。但，那些高高的圍牆，巨扇的大門……仍然有『侯門似海』的感覺。老婦深吸了口氣，嘴中低低喃喃，模模糊糊的說了句：

『雪珂，我周嬤違背了當初對福晉立下的重誓，依然帶著妳的女兒，遠迢迢來找妳了！只是，妳在哪一扇大門裡面呢？我要怎樣，才能把小雨點送到妳手裡呢？』

風捲著落葉，對周嬤撲面掃來。周嬤彎下身子，又是一陣大咳。小雨點焦灼的對周嬤又拍又打，急急的說：

『奶奶，咱們趕快去客棧裡吧！去了客棧，就趕快給奶奶請大夫吧……』

『沒事沒事！』周嬤直起身子，強顏歡笑著，望著遠處天邊，最後的一抹彩霞。『雪珂！』她心中低喚著：『再不把孩子交給妳，只怕我撐不住了。』

周嬤費了好幾天的時間，終於打聽出雪珂的下落。承德羅府，原來赫赫有名啊！周嬤又費了好幾天時間，終於結識了羅府的一位管家馮媽，和馮媽一談，周嬤就楞住了。原來，羅至剛已有第二位夫人！原來雪珂在羅家並無地位，如果下人眼中，已經如此，實際情況，一定更糟。

怎樣把小雨點送進羅家去呢？怎樣讓雪珂知道小雨點就是她親生的女兒呢？總不能敲了門，堂而皇之的走進去，把雪珂婚前生的孩子，交到雪珂面前呀！周嬤始終記得，福晉親自把小雨點抱來，遞到她懷裡時，說的一番話：

『這個孩子活著，只有妳知我知天知地知！妳必須立下重誓，帶著孩子遠走高飛，永遠不回北京城，永遠不再見雪珂的面！如果妳違背了誓言，會天打雷劈，永世不得超生！』

她發了誓，很鄭重很虔誠很嚴肅的發了誓。福晉眼裡閃著淚光，又交給她一筆錢，懇切的說：

『拿了這些盤纏，帶著孩子，去找亞蒙吧！亞蒙被充軍到新疆的喀拉村，在那兒開採煤礦，去吧！找著了亞蒙，一家三口，就在新疆落戶，另娶媳婦，另過日子吧！』

周嬤多感激呀！有了孫女兒，有了盤纏，又有了亞蒙的下落！她連夜帶著孩子，離開北京，直奔新疆而去。

福晉大概做夢也沒想到，周嬤這一老一小，人生地不熟，走走停停，好不容易走到新疆，找到喀拉村時，已經是一年以後了。朝代改了，喀拉村的人犯全跑光了，沒有任何人知道顧亞蒙在何方，連那個煤礦，都已經是個廢礦，沒人開採了！

盤纏已經用完，小雨點又體弱多病，周嬤呼天不應，叫地不靈，又舉目無親。從此，是漫長的、飄泊的日子，一個村鎮又一個村鎮，周嬤打著零工，做各種活兒，養活小雨點，尋訪亞蒙的下落。祖孫二人，挨過許許多多不為人知的苦楚，有時，周嬤看著小雨點那酷似雪珂的神韻，和那種與生俱來的高貴氣質，會楞楞的發起呆來。

『是個小格格呢！怎麼命會這麼苦呢！』

是的，小雨點從小餐風飲露，說有多苦就有多苦。祖孫兩個從新疆往回走，一走就走了好多年，走得周嬤日形衰弱，百病叢生，好不容易回到北京，才知道羅府已經搬回承德了。

怎樣也沒膽子把小雨點送到王爺府去。周嬤自知來日無多，越來越恐懼，渴望見到雪珂的願望就越來越強烈，終於，她勉強撐持著，帶著小雨點來到承德。

已經到了承德，也知道羅家的地址，在羅宅大門前，徘徊了好幾天的周嬤，這才瞭解到『一面難求』的意義。

身上最後的幾個錢也快用完了，長昇客棧裡，已欠下好多天的房錢，周嬤的身子，越來越差，常整夜咳得不能睡覺。這天，周嬤得到了一個消息，像是在黑夜中看見了一線曙光，來不及細思，也來不及計畫清楚，她做了一個最冒險的決定。

這晚，周嬤拉著小雨點，強抑悲痛的說：

『小雨點，奶奶要跟妳分開一段日子了！』

『爲什麼？』小雨點臉色蒼白。

『妳聽著，奶奶帶著妳，巴巴的來到承德，是因爲奶奶打聽到，這兒有戶姓羅的大戶人家，心腸好，又待人寬厚，他們家，正巧需要……需要一個小丫頭！』

小雨點睜大眼睛，看著周嬤點點頭。

『妳要把我賣給羅家，當小丫頭？』小雨點喉嚨中哽哽的，眼眶裡濕漉漉的。『可以賣很多錢嗎？』她問。

『不是！』周嬤爲難極了，能告訴小雨點一切嗎？不行呀！她才八歲，她不會守祕，也全然沒有心機。『不是爲了錢……』

『我知道，』小雨點又點頭。『妳怕我跟妳過苦日子，妳才這樣安排的！我不去！妳病著，我如果去做丫頭，誰來照顧妳呀？』

『小雨點！』周嬤急了。『如果我告訴妳，是爲了錢呢？妳瞧，咱們已經山窮水盡了，奶奶身子又不好……』

『賣了我，妳就有錢治病了？是不是？』小雨點眼睛一亮：『那麼，就賣了我吧！』

周嬤抱著小雨點，淚如雨下。

『小雨點，聽我說，進了羅家，別說妳姓顧，只說妳姓周！羅家有個少奶奶，是個格格，記住，是格格的那位少奶奶，妳見著了她，要特別對她好……告訴她，告訴她……』周嬤一個激動，開始大咳特咳，咳得說不下去了。

『奶奶！奶奶！』小雨點嚇得魄飛魂散，拚命幫周嬤捶背揉胸口，一疊連聲的說：『妳快把我賣了吧！賣了錢快治病吧！』

周嬤死命攥住小雨點的衣袖，顫抖著，咳著，瞪大眼睛叮嚀著：

『告訴她，妳有一個奶奶，只有一個奶奶，妳跟著奶奶去新疆找妳爹，找了好多年都沒找著……告訴她……妳娘……妳娘……』

周嬤咳得說不下去，小雨點急得淚水奔流。

『別說了，奶奶，我都知道了，我娘，她早就死了！』

『小雨點，』周嬤更急切了。『妳娘，她沒……沒……唉！』周嬤嘆口氣，又咳又喘又著急。

『這些話，妳只能對那個少奶奶說，不能對羅家任何人說！聽到沒有？』

小雨點拚命點頭，拚命拍著周嬤的背，淚水不停的掉，聲音哽咽著：

『我都知道，我聽妳話，妳趕快賣了我治病！』

『唉！』周嬤再嘆了口氣，仰頭看窗外天空：『老天爺！』她心中默禱著：『讓我見雪珂一面吧！』

第二天，小雨點在馮媽的穿針引線下，賣進了羅家。周嬤沒走進羅家大院，只在廚房邊的小廳結束了這場買賣，出來拿賣身契和付錢的是羅老太，也就是當年的羅夫人。在羅老太那麼銳利，那麼威嚴的注視之下，周嬤什麼話都不敢說，眼睜睜看著小雨點被馮媽帶走了。

『明天，』周嬤心想：『明天起，我將去羅家大門前等著，早也等，晚也等，總會等到雪珂出門吧！』

周嬤並沒有想到，她的生命裡已經沒有『明天』。就在小雨點進羅府的那個晚上，周嬤走完了她人生中最後一段路。帶著她那天大的祕密，她來不及對小雨點有更進一步的安排，就這麼飲恨而去了。

周嬤的後事，是長昇客棧的掌櫃，爲周嬤料理了的。

沒想到賣小雨點的錢，做了周嬤的喪葬費。一口薄棺，在城西的亂葬崗，就這麼入了土。入土那天，掌櫃的想到已賣進羅家的小雨點，心存悲憫，因而，親自去了一趟羅家，見到了羅家的老家人老閔，報了噩耗。老閔是個憨厚忠誠的人，不禁動了惻隱之心，立刻報告羅老太，羅老太呆住了，沒料到世間有這等苦命之人，賣了孫女兒治病，居然連一天都沒挨過去。

『讓小雨點，去墳上給她奶奶磕個頭吧！』羅老太對老閔說：『怪可憐的！』

因而，小雨點上了奶奶的墳。

秋日的亂葬崗，朔野風寒，落葉飄零。

小雨點不信任的看著那座新墳，完全不能相信這個事實。死了？她從小相依爲命，在這世上僅有的一個親人，居然死了？那日進羅家，竟成爲她和奶奶的永訣！八歲的小雨點無法承受這個，她看著奶奶的墳，看著那片木頭的墓碑，上面只有四個字：『周氏之墓』，她頓時痛從中來，抱著那木頭牌子，她號啕大哭：

『不不！奶奶！妳最愛小雨點，妳最疼小雨點，妳說過，我們只是暫時分開一下……奶奶，妳騙了我！妳怎麼可以走？妳怎麼可以丟下我？不管我了？奶奶！奶奶！妳教我以後怎麼辦？怎麼辦？奶奶……奶奶……奶奶……』

小雨點淒厲無助的喊聲，震動了荒野，天地為之含悲。連見過不少大場面的老閔，都淚盈於眶。

但是，小雨點卻喚不回她的奶奶了。

雪珂和小雨點第一次見到面，是周嬤去世三天以後的事了。

那天，雪珂要到嘉珊房裡去，拿一批綉花的圖樣。穿過水榭，走入迴廊，她就看到遠遠的，馮媽正帶著個小丫頭走過來。府裡新買了個小丫頭，她已經聽翡翠說了，卻根本沒有把這件事放在心中。小丫頭個子好小，穿著一身不知是那個大丫頭的舊衣服，袖管和褲管都長了一大截，走起路來甩呀甩的，好不辛苦。正走著，斜刺裡，玉麟橫衝直撞而來，這孩子永遠有用不完的活力。

一面衝，一面嘴裡還吆喝著：

『我是老虎，我是豹子，我是千里馬……巴達，巴達，巴達……我來啦……』

這隻千里馬一衝之下，竟和小雨點撞了個滿懷。

『哎喲！』一聲，兩個孩子雙雙摔倒在地。馮媽定睛一看，撞倒了家裡的小祖宗，這還得了！她一面慌忙扶起玉麟，一面猛的回手，就給了小雨點一耳光。

『妳這個笨丫頭，眼睛長在後腦勺上，還是怎的？看到小少爺來，妳好歹躲一躲開呀！』

已經摔得七葷八素的小雨點兒，正踩著過長的褲管想爬起來，被馮媽這一耳光，又打得跌落於地。

『哎哎，別打她！別打！』雪珂急步走來，本能的就伸手把小雨點的手握住，用力一拉。這一拉，雪珂就呆住了，心頭竟無緣無故的猛跳了跳，像被什麼看不到的大力量撞擊了一下。她定定神，看著小雨點，好清秀的一個小女孩兒！雙眉如畫，雙目如星，挺直的鼻梁，小小的嘴……這樣可愛的孩子，簡直是『我見猶憐』呢！雪珂深吸了口氣，眼光竟鎖在這孩子的面龐上了。

『小雨點！還不趕快磕頭叫少奶奶！』馮媽很權威的怒喝著：『說妳笨，還眞笨！教了幾天了，見了人要磕頭呀！妳看著，』她一把拖過小雨點來：『這是少奶奶！』

小雨點仰著頭，呆呆的看著雪珂。和雪珂的反應一樣，小雨點怔住了。她覺得好奇怪，這位少奶奶眼中，流露著如此柔和的光芒，溫柔得像冬天的陽光。她這一生，只有在奶奶眼中，見到過這種溫柔。

『叫人哪！』馮媽伸手，擰了一下小雨點的耳朵。

『哎喲！』小雨點叫了一聲，慌忙低頭，跪下去，忙不迭的磕起頭來。『少……少……少奶奶，萬……萬……萬福！』她結結巴巴的說著馮媽教過的一套。『小雨點兒給……給……少奶奶……磕頭請安……』

雪珂伸出雙手，扶住了小雨點的雙肩。

『別磕了，站起來！』她輕聲說。

小雨點跌跌衝衝的想站起來，心慌慌的，一腳踩住長褲管，又差點摔倒，雪珂及時扶住了她。

『妳的名字叫小雨點？』雪珂問，乾脆蹲下來，細細審視著這張娟秀的臉。

『是啊，奶奶都喊我小雨點！』

『奶奶？』雪珂凝視她。『在哪兒呢？』

小雨點眼眶立刻紅了，淚珠湧上來，充斥在眼眶裡，她竭力忍著，不可以哭奶奶，馮媽已經千叮嚀萬囑咐過！但是，要不哭，好難呀！

『奶奶……』她哽咽著：『死了！』

『哦！』雪珂似乎被這孩子的淚，燙了一下，心中猛的掠過一陣抽痛和憐惜。『那麼，妳爹呢？妳娘呢？怎麼把妳這麼小的孩子，賣來當丫頭？』

『我沒爹，我也沒娘，』小雨點噙著淚水，鼻子裡唏哩呼嚕。『我奶奶賣了我，才有錢治病，她沒有法子，我們好窮……可是，她沒治好病，就死了……』小雨點再也熬不住，淚珠沿著面頰，滴滴滾落。

『這個教不好的笨丫頭！』馮媽氣極了，又想去擰小雨點的耳朵。

『算了，馮媽！』雪珂站起身來，攔住了馮媽。『她這麼小，怪可憐的！沒爹沒娘，又失去了奶奶……』雪珂深深看小雨點。『別哭了！孩子！』

小雨點心中熱熱的，多麼，多麼溫柔的聲音呀！多麼，多麼溫柔的眼神呀！又多麼，多麼慈愛與美麗的臉孔呀……她慌慌忙忙的用衣袖擦眼睛，不許哭的！不能哭的！當丫頭沒有資格哭的，馮媽說的。怎麼眼淚水就一直要冒出來呢？眞是的！

『來，別用袖子擦眼睛！』雪珂說，從懷裡掏出一條細紗小手帕，塞在小雨點手中。『拿去！』

小雨點呆呆的接過手帕，好溫暖好香的小手帕呀！

『好了！』馮媽一扯小雨點，對雪珂福了一福。『少奶奶，我帶她去廚房，老太太交代，要從最根本的工作訓練起來，我想，先叫她去灶裡燒火吧！』

『燒火？』雪珂一怔：『這麼小，不會燙著嗎？』

『少奶奶！』馮媽嘴角牽了牽，掠過一絲嘲弄的笑。『丫頭就是丫頭命哪！又怕燙又怕摔，那還能做活嗎？』

馮媽拉著小雨點，不由分說的就向廚房走。玉麟又開始在迴廊裡橫衝直撞：

『我是老虎！我是大熊！我是千里馬……巴達，巴達，巴達……』

雪珂怔怔的站著，怔怔的望著小雨點的背影，兀自出著神。翡翠忍不住拉拉雪珂的袖子，喊了一聲：

『格格！咱們走吧！』

格格！小雨點觸電似的回過頭來。奶奶說過一句話，見著了是格格的那位少奶奶，要告訴她……告訴她……告訴她什麼？小雨點心慌慌，完全想不出來。正在怔忡之中，馮媽已拎著她的耳朵，一路拉扯了過去：

『妳磨磨蹭蹭的幹什麼？走一步，停一步！妳當妳是千金小姐嗎？還不給我快一點幹活去！』

小雨點被一路拖走了。

雪珂莫名其妙的，嘆了長長一口氣。

『格格，』翡翠輕言細語的。『別嘆氣了，給老太太或是少爺聽到，又有一頓氣要受……』

唉。雪珂心中嘆了更大的一口氣：在羅家，當小丫頭不能掉淚，當少奶奶不能嘆氣。可是，人生，就有那麼多無可奈何的事啊！

4

就在小雨點和雪珂相對不相識的時候，北京的顧親王府中，也發生了一件大事。

這天一大早，王爺的親信李標就直奔進來，手持一張名帖，慌慌張張的說：

『王爺，外面有客人求見！』

『怎麼？』王爺瞪了李標一眼。『你慌什麼？難道來客不善？』王爺拿過名帖來看了看：『高寒，這名字沒聽說過啊！這是什麼人？他有什麼急事要見我？』

『王爺！』李標面露不安之色：『不知道是不是小的看走了眼，這位高先生實在眼熟得很，好像是當年那個……那個充軍的顧亞蒙呀！』

王爺大吃一驚，坐在旁邊的福晉已霍然而起，比王爺更加吃驚，她急步上前追問：

『你沒看錯嗎？眞是他嗎？爲什麼換了名字？他的衣著打扮怎樣？很潦倒嗎？身邊有別的人嗎……』

『他看來並不潦倒，身邊也跟著一個人！』

『哦哦？』福晉更驚。『是周嬷嗎？』

『不是的，是個少年小廝，一身短打裝扮，非常英俊，看來頗有幾下功夫。』

『哦！』王爺太驚愕了。『你說那顧亞蒙搖身一變，變成高寒，帶了打手上門來興師問罪嗎？』

他噓口氣，咬咬牙說：『好！咱們就見見這位高寒，他是不是顧亞蒙，見了就知道！』

王爺大踏步走進大廳的時候，那位高寒先生正背手立在窗邊，一件藍灰色的長衫，顯得那背影更是頎長。在他身邊，有個劍眉朗目的少年垂手而立，十分恭謹的樣子。

『阿德，』那高寒正對少年說：『這頤親王府裡的畫棟雕樑，已經褪色不少，門口那兩座石獅子，倒依然如舊！』

王爺心中猛的一跳，跟著進門的福晉已脫口驚呼：

『亞蒙！』

高寒驀的回過頭來，身長玉立，氣勢不凡，當日稚氣未除的臉龐，如今已相貌堂堂，儀表出衆，只是，眉間眼底卻深刻著某種無形的傷痛，使那對溫文儒雅的眸子，透出兩道不和諧的寒光，顯得冰冷，銳利，而冷漠。

『亞蒙？』高寒唇邊浮起一絲冷笑，抬高了聲音問：『有人在喊亞蒙嗎？九年以前，我認識一位顧亞蒙，他被充軍到遙遠的天邊，路上遇到飢荒又遇到瘟疫，他死了！顧亞蒙這個人死過很多次，路上死了一次，到礦裡，深入地層下工作，又被倒塌的礦壁壓死了一次。和看守軍發生衝突，再被打死了一次，當清軍失勢，礦工解散，那顧亞蒙早已百病纏身，衣不蔽體，流浪到西北，又被當地的流氓圍攻，再打死一次！於是，顧亞蒙就徹底的死了，消失了！』他抬頭挺胸，深吸了口氣：『對不起，王爺，福晉，你們所認識的亞蒙，早就託你們的福，死了千次萬次了！現在，站在你們面前的人，名叫高寒！』

高寒冷峻的說著，是的，那在陝西被流氓追逐毆打的一幕，依稀還在眼前，如果沒有高老爺和阿德主僕二人，伸援手救下他來，他今天也不會站在王府裡了。人生自有一些不可解的際遇，那高振原老爺子，六十歲無子，一見亞蒙，談吐不俗，竟動了心。把亞蒙一路帶回家鄉，兩人無所不談，到了福建，老人對亞蒙說：

『你無家，我無子，你的名字，已讓滿人加上各種罪名給玷污了。現在，你我既然有緣，你何不隨了我的姓，換一個名字，開始你新的人生？』

於是，他拜老人爲義父，改姓高，取名『寒』。雪中之玉，必然耐寒！他已經耐過九年之寒了！今天，他終於又站在王爺面前了。他終於能夠抬頭挺胸，侃侃而談了。

『亞蒙雖死，陰魂未散，王爺有任何吩咐，不妨讓我高寒來轉達！』

王爺怔了片刻，臉色忽青忽白，驟然間，他大吼出來：

『你居然還敢回來！九年前你造的孽，到今天都無法消除，你居然還敢明目張膽的跑進王府來，對我這樣明諷暗刺……』

高寒的聲音，冷峻而有力：

『王爺！讓我提醒你，現在是民國八年了！「王爺」這兩個字，已經變成一個歷史名詞了！你不再是高高在上、掌握生殺大權的那個人，而我，也不再是跪在地上，任人宰割的那個人！你最好不要輕舉妄動，你拿我，已經無可奈何了！』

『你混帳！』王爺大怒，一衝上前，就攥住高寒胸前的衣服。『不錯，是改朝換代了！你連姓名，都已經改了！但在我眼裡，你永遠都翻不了身，我也永遠痛恨你，你帶給這個家無法洗刷的恥辱……我眞後悔，當初沒有一劍殺了你……』

『王爺！』那名叫阿德的少年走過來，輕描淡寫的把王爺和高寒從中間一分，王爺感到一股大力量，直逼自己，竟不由自主的鬆了手。他愕然的瞪著那少年，是的，高寒絕不是顧亞蒙，他身邊居然有這樣的好手，怪不得他有恃而無恐了。『大家有話好說好說，』阿德笑嘻嘻的，看王爺一眼：『我家少爺，好意前來拜訪，請不要隨便動手，以免傷筋動骨……』

什麼話！王爺氣得臉都綠了，正待發作，福晉已急急忙忙的往兩人中間一攔，眼光直直的看著高寒，迫切的，困惑的開了口：

『你們母子見到面了沒有？那周嬤，她找到了你沒有？難道……你們母子竟沒有再相逢？』

『什麼？』高寒一震，瞪視著福晉。『爲什麼我們母子會相逢？我在遠遠的新疆，民國以後，我就東南西北流浪，然後又去了福建，我娘怎可能和我相遇？到北京後，我也尋訪過我娘，但是，我家的破房子早就幾易其主，我娘的舊街坊說，八年前，我娘就不見了！你們！』他往前一跨，猛的提高了聲音：『你們把我娘怎樣了？』

『天地良心！』福晉脫口喊出：『那周嬤……她不是去找你了嗎？是我告訴她的地址，新疆喀拉村，是我給了她盤纏……她應該早就到新疆去了呀！』

高寒一呆，王爺也一呆。

『妳這話當眞？』高寒問福晉。

『這種事，我也能撒謊嗎……』

福晉話沒說完，王爺已怒瞪著福晉吼：

『妳瞞著我做的好事！妳居然賙濟周嬷，又私傳消息，妳好大的膽子！』

『王爺！』福晉眼中充淚了。『已經是八年前的事了，我們就不要再重翻舊帳了吧！』

高寒踉蹌著退後了一步。

眞的嗎？周嬷去了新疆，可能嗎？那樣天寒地凍，路遠迢迢！如果她眞的去了，卻和他失之交臂，那麼，她會怎樣？回到北京來？再向福晉求救？他抬起頭來，緊盯著福晉：

『後來呢？以後呢？』

『以後，』福晉楞了楞。『以後就再也沒有消息了！』

『那麼，』高寒抽了口氣。『雪珂呢？』

王爺忍無可忍的又撲上前來。

『你這個混帳！你還敢提雪珂的名字！她嫁了！她八年前就嫁給羅至剛了！現在幸福美滿得

不得了，如果你敢再去招惹她，我決不饒你！我會用這條老命，跟你拚到最後一口氣！』

『王爺王爺！』福晉著急的拉住他。『別生氣呀！』她哀求似的看向高寒：『王爺這兩年，身子已大不如前，過去的事，都已經過去了，請你不要再追究了吧！』

『過去的事還沒過去！』高寒大聲說：『我那孩子呢？告訴我，我那孩子呢？』

王爺喘著氣抬起頭來：

『那個孽種，一落地就死了！』

高寒臉色大變，這次，是他一伸手，抓住了王爺的衣襟。

『你說什麼！什麼叫一落地就死了？你胡說！你們把他怎樣了？怎樣了……』

『埋了！』王爺也大叫：『你要怎樣？我們把他埋了！這種恥辱，必須淹滅……』

『天哪！』高寒痛喊，瘋狂般的搖撼著王爺：『你們怎麼下得了手？那個無辜的小生命，難道不是你們的骨肉！你們怎能殘害自己的骨肉啊？』

『住手！住手！』福晉喊著，沒命的去拉高寒：『聽我說，那孩子沒死！是個好漂亮的女孩兒，我連夜抱去交給你娘，你娘，她不敢留在北京，就連夜抱著去新疆找你了！』

福晉此語一出，高寒呆住了，王爺也呆住了，兩人的目光都緊緊的盯著福晉。福晉淒然的瞅著王爺半晌，才哽咽著，喑啞的說：

『請原諒我！那孩子粉妝玉琢，才出生，就會衝著我笑，我下不了手。周嬤，她失去兒子，已經痛不欲生，讓她帶著孩子，去和亞蒙團聚，也算……我們積下一點陰德，我怎麼想得到，她居然沒有找到亞蒙？』福晉邊說，淚水已奪眶而出，一轉身，她激動的握住了高寒的手臂，熱切的抬起頭來，含淚盯著高寒，眞摯的說：『不要再來找我們了，我們是兩個無用的老人了！不要再去找雪珂了，她已經羅敷有夫，另有她的世界和生活了！去……去找你的娘和你的女兒吧！她們現在正不知流落何方，等著你的援手呢！』福晉頓了頓，眼光更熱切了：『亞蒙，對過去的事，我們也有怨有悔，請你，爲了我和王爺，爲了雪珂，立刻去尋訪她們兩個吧！』

高寒凝視著福晉，眼底的絕望，逐漸被希望的光芒給燃亮了。

晚上，高寒和阿德坐在客棧房間裡，就著一盞桐油燈，研究著手裡的地圖。

『從北京到喀拉村，這條路實在不短，前前後後，又要翻山越嶺，又要涉過荒無人煙的沙漠……我娘，帶著一個剛出世的孩子，怎麼可能憑兩條腿走了去？再加上，這條路又不平靜，有強盜有土匪，有流竄的清軍，有逃亡的人犯……什麼樣的人都有。我眞擔心，我娘和那孩子……會有怎樣的遭遇！』

『少爺！』阿德背脊一挺，誠摯的說：『我們可以一個村落又一個村落的找過去，一個人家接一個人家的問過去！總有幾個人，會記住她們吧！』

『八年了！阿德！』高寒痛楚的說著：『八年可以改變多少事情！』他背著手，開始在室內走來走去。『我簡直不知道要從那一條路，那一個地方開始找！』他忽然站住，眼裡幽幽的閃著光。『或者，我們應該去一趟承德！』

『承德？』

『是的，承德。』高寒望了望窗外黑暗的穹蒼，再收回眼光來，凝視阿德。『我們應該去一趟承德！』他的語氣中帶著渴盼與期望。『雪珂在承德，不知道過得好不好？對於我娘和孩子，不知道她那兒有消息沒有！我娘，她沒受過什麼教育，又是個實心眼兒的婦人，她在動身以前，應該想法子和雪珂通上消息……對！』他一擊掌：『我們立刻動身去承德！』

『好！』阿德二話不說，站起來就整理行裝：『我這就去僱一輛馬車來，少爺，你等著，一個時辰之內，就可以動身了！』

高寒一怔。

『阿德！』

『是！』

『你不阻止我嗎？我記得，在我們動身來北京之前，我那義父是這樣對你說的，「阿德，你好好給我護送他到北京，如果是尋親呢，就幫他去尋，如果是去找雪珂呢……就把他給我押回到福建來！」』

阿德抬頭，對高寒微微一笑。

『是的，我家老爺是這樣命令我的！』

『那麼，你不預備阻止我？』

『少爺，』阿德對高寒更深的一笑。『從我們在大西北相遇，我們在一起也有七個年頭了，七年裡，你的心事，瞞不過老爺，也瞞不過我阿德！你現在已經下了決心要去承德了，你是尋親也好，你是尋妻也好，我有什麼「力量」，來阻止你九年來的「等待」呢？既然沒有力量來阻止，我就只好豁出去，幫你幫到底！反正老爺遠在福建，鞭長莫及！何況，這尋親與尋妻，一字之差，又是很相近的樣子，我阿德唸書不多，弄不清楚！』

高寒激賞的看著阿德，雖然心中堆積著無數的問題，卻被阿德引出了笑容。重重的拍了阿德的肩膀一下，他心存感恩的，眞摯的說：

『阿德，你和我名爲主僕，實則兄弟，更是知己。』他突然出起神來：『你知道嗎？當年雪珂身邊，也有這樣一個人，名字叫做翡翠……不知道她還在不在雪珂身邊。唉！』他嘆了口長氣。『原來雪珂生了個女兒，算一算，那孩子已八歲整了，不知道現在這一刻，她在什麼地方？做些什麼？快不快樂？好不好……』

小雨點絕對不知道，她的爹和娘，都距離她只有咫尺之遙。她在羅家當著小丫頭，努力燒火，努力擦桌子，努力掃地，努力洗衣服，努力做一切一切的雜務……當然，還要幫羅老太太捶背捏肩膀，幫馮媽搧扇子，幫玉麟小少爺抓蟋蟀綁風箏……她雖然只是個小丫頭，卻忙得昏天黑地，她唯一的朋友，是和她住一個房間的另一個丫頭，比她大四歲的碧蘿。當然，她好希望去服侍那位格格少奶奶，但是，她能和雪珂接近的時間並不多。

玉麟只有五歲，天眞爛漫。在家中，他是唯一的獨子，是羅老太的心肝寶貝，他得天獨厚，養尊處優，要什麼有什麼，獨獨缺少兒時玩伴。自從小雨點進門，玉麟高興極了，總算找到一個比他大不了多少的小朋友，他對小雨點是不是丫頭這一點，完全置之不理，就一片熱情的纏住了小雨點。

小雨點在羅家遭遇的第一場災難，就是玉麟帶來的。

這天，玉麟興沖沖的衝進廚房，一把抓住小雨點，就往花園裡跑。

『小雨點兒，妳快來！』

『幹什麼呀？』小雨點不明所以，跟著玉麟，跑得喘吁吁。

玉麟站在一棵大樹下，指著高高的枝椏。

『瞧！樹上有個鳥窩兒，瞧見沒？』

『瞧見啦！』

『我要爬上去，把它摘下來送給妳！』玉麟摩拳擦掌，就要上樹。

『不要！不要！』小雨點嚇壞了，慌忙去拉玉麟：『這麼高，好危險，你不要上去……』

『怕什麼？』小男孩天不怕地不怕，推開了小雨點。『爬樹我最行了！我把鳥窩摘給妳，妳有小鳥兒作伴，就不會天天想妳的奶奶了！』

玉麟說做就做，立刻手脚並用，十分敏捷的對樹上爬去。小雨點仰著頭看，越看越害怕，越看越著急：

『小少爺！不要爬了！我謝謝你就是了！我眞的不要鳥窩兒呀！你快下來嘛！』

玉麟已經越爬越高，小雨點急切的嚷嚷聲，更激發了他男孩子的優越感。一定要爬上去，一定要摘到鳥窩兒。他伸長手，就是夠不著那鳥窩，他移動身子，踩上有鳥窩兒的橫枝，伸長手，再伸長手……快夠到了，就差一點點……突然間，『咔嚓』一聲，樹枝斷了，玉麟直直的跌落下來，『咚』的摔落在石板鋪的地上了。

『小少爺！』小雨點狂叫著，撲過去，看到玉麟頭上在流血，嚇得快暈過去了。『馮媽！碧蘿，老閔，老蕭……』她把知道的人全喊了出來：『少奶奶，二姨娘，老太太……快來呀！小少爺摔傷了呀！』

接著，羅府裡是一場驚天動地的大混亂。大夫來了，羅至剛從鋪子裡也趕回來了，嘉珊哭天哭地，只怕摔壞了她這唯一的兒子。老太太更是急得三魂少了兩魂半，全府的丫頭僕傭，熬藥的熬藥，送水的送水，端湯的端湯，打扇的打扇……連一向不大出門的雪珂和翡翠，也擠在玉麟房裡，幫忙捲綳帶包傷口。

終於，大夫宣佈只是小傷，並無大礙。玉麟也清醒過來，笑嘻嘻在那兒指天說地，惋惜沒摘到鳥窩兒。當大夫送出門去了，一場虛驚已成過去，羅老太太開始追究起責任來了。

『是誰讓他去摘鳥窩的？』

小雨點一直跪在天井裡那棵大樹下。自從玉麟摔傷後，她就依馮媽的指示，跪在『犯罪現場』。

『是小雨點兒！還跪在那兒呢！』馮媽說。

『新來的丫頭？好大的狗膽！』至剛眉頭一擰。『馮媽，去給我把家法拿來！好好懲治她一頓！』

雪珂心中一慌，本能的就往前一攔。

『算了！至剛，都是小孩子嘛！罵她兩句就好了！何必動用家法呢？』

『妳說什麼？』羅老太太驚愕的看著雪珂。『她犯了這麼大的錯，妳還爲她求情，眞是不知輕重！馮媽！給我重打！』

於是，在那棵大樹下，馮媽拿著家法，抓起小雨點，重重的打了下去，全家主僕，都站著圍觀。

『馮媽，』至剛說：『重打！問她知不知錯？』

馮媽的板子越下越重，小雨點開始痛哭。跟著奶奶流浪許多年，風霜雨露都受過，飢寒凍餒也難免，就是沒挨過打。奶奶一路噓寒問暖，大氣兒都沒吹過她一下。現在當小丫頭，才當了沒多少日子，就挨這麼重的板子。她又痛又傷心，竟哭叫起她那離她遠去的奶奶來：

『奶奶！妳在那裡？妳怎麼不管我了？不要我了？奶奶！我不會當丫頭，我一直做錯事……奶奶呀！奶奶呀……』

『反了！反了！』羅老太太氣壞了。『居然在我們羅家哭喪！馮媽，給我再重打！』

馮媽更重的揮著板子，小雨點的棉布褲子已綻開了花。雪珂忍無可忍，往前一衝，急急的喊：

『夠了！夠了！別再打了！娘！她這麼小的一個孩子，怎麼受得住啊？娘！我們是積善之家，不是嗎？我們不會虐待小丫頭的，不是嗎……』

『格格！』翡翠驚喊。

來不及了，羅老太太的怒氣，已迅速蔓延到雪珂身上。她轉過頭來，銳利的盯著雪珂。

『妳說什麼？虐待小丫頭？妳有沒有問題？這樣偏袒一個丫頭，妳是何居心？看來，妳對於「下人」，已經偏袒成習慣了？』

一句話夾槍帶棒，打得雪珂心碎神傷。至剛斜眼看了雪珂一眼，是啊！這個讓他一輩子抬不起頭來的女人，在羅家待了八年，像一湖止水，就沒看到她對什麼人動過『感情』，這種時候，卻忽然憐惜起一個小丫環來了？

『馮媽，家法給我！』

至剛大踏步跨上前，一把搶下了家法。

『至剛！』雪珂驚呼。『打小丫頭，也勞你親自動手嗎？』

『如果她能勞妳親自袒護，就能勞我親自動手！』

至剛怒吼一聲，板子就重重的落下，一下又一下，他打的不是小雨點，是他對雪珂的怨，對雪珂的恨。小雨點痛得天昏地暗，哭得早已嗚咽不能成聲。雪珂不敢再說任何話，只怕多說一句，小雨點會更加受苦。但是，看著那家法一板一板的抽下，她的淚，竟無法控制的奪眶而出了。

『好了！夠了！』終於，老太太說話了。

至剛丟下了板子。一回頭，他看到雪珂的淚。

『跟我來！』他扭住雪珂的手臂，直拖到臥房。『妳哭什麼？』他惡狠狠的問。

『哭……』雪珂顫慄了一下。『好可憐的小雨點，她莫名其妙，就代我……代我受罰！』

『妳知道的！是嗎？妳就這樣看透我！』至剛咬牙切齒，伸手捏住雪珂的下巴，捏緊，再捏緊，他恨不得捏碎她，把她捏成粉末。『不要考驗我，我不是聖人，妳讓我受的恥辱，我沒有一天忘記過！總有一天，我會跟妳算總帳的，總有一天！』

雪珂被動的站著，什麼話都不敢說。

這天晚上，小雨點昏昏沉沉醒來，只見到雪珂正用藥膏，爲她塗抹傷口，她塗得那麼細心，她的手指，如此溫柔而細膩，小雨點覺得，就是有再多的傷口，也沒什麼大關係了。上完了藥，翡翠已拿來一床全新的被褥，爲小雨點輕輕蓋上。雪珂拉著被角，細心的塞在小雨點身子四周，一邊塞，一邊對碧蘿說：

『妳要幫忙照顧著她，因爲小雨點兒傷成這樣，一定要趴著睡或側著睡，別讓她壓著傷口，好不好？』

『是的，少奶奶，我會的！』碧蘿應著。

雪珂凝視著小雨點，不知怎的，淚，又來了。

小雨點用胳膊撐起身子，十分震動的抬起一隻手來，爲雪珂拭著淚，她痴痴的看著雪珂，痴痴的說：

『少奶奶，妳怎麼對我這樣好啊？剛才爲我求情，現在又親手爲我上藥，還給我一床新被子，還爲我掉眼淚，我……我不過是個小丫頭呀！』

雪珂無言以答，只感到心痛無比。那種心痛難以言喻，像是自己的心臟和神經，全被一隻無形的大手捏著，捏得快要碎了。

5

這天是陰曆十五。

每逢初一和十五，雪珂照例要去廟裡上香。以前在北京時，她去香山，去臥佛寺，去碧雲寺。現在到了承德，她最常去的是普寧寺。其實，去普寧寺是羅老太太的習慣，初一、十五也是羅家上香祈福的日子。對雪珂來說，任何廟宇代表的意義都一樣，任何菩薩代表的意義也都一樣。站在菩薩面前，她已不再為自己的未來祈禱，只為遠在天邊，音訊全無的亞蒙，孩子、周嬤祈禱；相思相見知何日？此恨綿綿無絕期。但願人長久，千里共嬋娟！

這天，三輛馬車浩浩蕩蕩而來，羅家全家到了普寧寺。

寺前，有一個大廣場，場中，照例有各種小販在賣東西，有的賣香燭，有的賣捏麵人，有的賣鞋子，有的賣風箏和日用品……廟前，總是滿熱鬧的。來上香的達官貴人和善男信女，多半都扶老攜幼，所以，男男女女，老老少少，幾乎各種人等，都會在廟前來往穿梭。

這天，羅家大小，到了普寧寺，這天，高寒主僕，也到了普寧寺。

寺邊，有一棵大樹，高寒隱在那棵大樹下，已經足足等了兩個多時辰了。阿德騎着一輛腳踏車，在寺前寺後，廣場上，偏殿上，馬路上……各處巡邏。不時騎過來對高寒簡報一下：

『還沒看到他們來，但是，他們一定會來的！我已經打聽得清清楚楚，不會出錯的！』

過了一會兒，阿德又騎過來，再三叮嚀：

『少爺，見着了人，你可不能莽撞，先遠遠的瞧一瞧是怎麼個情景再說，她身邊一定跟着許多人，你可別打草驚蛇，弄得不可收拾！』

『阿德，』高寒壓抑着，嘆口氣說：『你放心吧，我又不是三歲小孩，我知道輕重厲害的！今天，我什麼都不會做，我只要先看看，王爺說她過着幸福快樂的日子，到底是眞是假……』

『唷唷，少爺，』阿德瞻着高寒，搖搖頭。『我對你還眞有點不放心，你怎麼可能看一眼，就知道人家是幸福還是不幸福！』

『會知道的！』高寒深深的呼吸着，眼光落在每一輛新到的車子上，搜尋着記憶中的身影。

『我只要看一眼，我就能「斷定」她在過怎樣的日子……』他陡的一震：『來了！』他全身的神經都緊張起來：『來了！這三輛馬車，一定就是了！』

第一輛車子停下，馮媽扶出了羅老太。

第二輛跟着停下，翡翠攙出了雪珂。

『翡翠！雪珂！』高寒低喊着，再也看不到其他下車的人了，他的眼光死死的盯着雪珂。雪珂雪珂，這名字，在醒時夢裡，都呼喚了千千萬萬次！這面龐，這眼睛，這身形……在每個記憶中，都如此鮮明。而現在，雪珂竟在眼前了！依然是秀髮如雲，依然是身材嬝娜，依然是亭亭玉立，依然是眉眼盈盈……高寒的心狂跳着，手心裡沁着冷汗，整個人往前仆着，似乎隨時準備衝出去。

『少爺！』阿德警告的喊，低聲說：『你就站在這兒別動，看着就好，千萬別出去！羅家似乎全家出動了！』

一個小男孩，忽然對着樹下飛奔而來。

『娘！娘！』玉麟喊着：『有個小猴兒！好可愛的小猴兒！我要小猴兒！』

嘉珊正在攙着老太上台階。雪珂急忙追着玉麟過來。

『玉麟！』雪珂嚷着。『別亂跑呀！快回來，等會兒奶奶生氣了！』

『不行不行！』玉麟直奔到樹下，站在一個賣猴子的小販面前，興奮無比的嚷：『我要小猴兒！』

雪珂追到樹下來了，一把牽住玉麟的手。

高寒差點從樹後面栽了出去。

『原來，她已經有個兒子了！』高寒的手指，深深嵌進樹幹的隙縫中去。『她和羅至剛的兒子！那麼，她不會再眷戀那失去的女兒了！』他覺得心中隱隱作痛，情緒激動澎湃，簡直不能自已。

『好了，別教奶奶等咱們！』雪珂要拉玉麟走。

『不要嘛，我要跟小猴兒玩！』

原來，樹下有個年輕人，手裡牽了隻小猴子，肩上又坐着兩隻小猴子，正在那兒賣猴子。

『這位太太！』年輕人對雪珂笑嘻嘻的說：『給妳的少爺買隻小猴吧！小猴兒通人性，又會表演！來！給小少爺敬個禮，敬禮！敬禮！』年輕人把肩上的猴子一逗，那猴兒真的對玉麟敬了個禮。

玉麟樂壞了，拍手直笑。

小猴兒見玉麟拍手，也拍起手來。

玉麟簡直着迷了，纏着雪珂，直嚷直叫：

『給我買小猴兒嘛，不管不管，我要小猴兒嘛！』

雪珂回頭望，老太太已經站定，對這邊不耐的看過來。雪珂心一慌，拉着玉麟，急着想走。

『玉麟乖，你瞧奶奶生氣了！』

年輕人急忙上前，笑嘻嘻的對雪珂一攔：

『別急着走哇！太太！妳家少爺心地好，模樣好，養隻猴兒可以訓練他的耐心，對他有百利而無害！何況，看你們這樣子，也知道你家大富大貴，猴兒賣得便宜，只要十個銅板，買了吧！』

『對不起，』雪珂陪笑的看着年輕人。『我們家不能養小動物，小孩子不瞭解家裡規矩，對不起……』

雪珂話未說完，老太、至剛、翡翠……都已來到身邊。翡翠一臉着急的喊：

『格格！』

『格格？』老太的聲音高了八度。『什麼時代了，還有格格？那有個格格如此輕浮，上香不進廟門兒，儘在廟外面磨菇？這兒是有觀音呢？還是有如來？』老太怒瞪着雪珂：『到羅家這麼多年了，規矩還沒學會嗎？』

『娘……』雪珂聲音啞了，眼中已迅速充淚。

至剛一步跨上前來，伸手就掐住了雪珂的胳臂，他那練過鐵砂掌的手指和鐵鉗一樣硬，緊緊的箍住了她。

『眼淚收回去！』他命令的低語。『妳做出這副委屈樣子要給誰看？一出門就削我面子，回家讓我跟妳好好算帳！』至剛咬牙切齒：『走！』

雪珂腳步蹌踉着，像一個被押解的囚犯，跟着大夥兒走往廟裡去了。

高寒血脈僨張，激動萬分，一回頭，就緊抓住了阿德，痛楚的喊出來：

『你認爲這種樣子，像是幸福和美滿嗎？阿德，我沒辦法對我所看到的一切，置之不理！我要留下來，我要找出謎底，我要……救我的雪珂！』

雪珂這天的日子，是非常難受的。

一回到家裡，老太太就把雪珂的左手往桌上一擲，那左手的小指上，自從斷指之後，八年來，都戴着一個純金的指套。老太指着指套，疾言厲色的說：

『不要以爲已經受過教訓，就可以一錯再錯！這個指套，難道還不能讓妳變得端莊起來嗎？妳看嘉珊，她雖是二房，也沒有像妳這樣，和一個耍猴子的人也能有說有笑，眉來眼去！』

『娘……』雪珂顫抖着喊了一聲，想解釋。

『不要解釋！』老太喝止，厭惡的看着雪珂。『妳實在不配喊我娘！八年來，我們羅家一直容忍着妳，沒把妳休了，是妳的造化！妳應該感激涕零才是！爲了至剛的面子，我們把所有的羞辱，都嚥在肚子裡，妳自己該心裡有數，我們對妳的容忍和包涵！不要考驗我們，不要惹我們，如果妳再有一丁點兒差錯，我們不是休了妳，沒那麼便宜！我會讓妳……』老太從齒縫裡擠出聲音來：『度日如年的！聽見了沒有？』

『聽見了！』雪珂含淚回答。

這天的罪，並沒有受完，到了晚上，至剛拎着一壺酒，闖入了雪珂房裡。

『雪珂！來陪我喝酒！』

雪珂走過去，默默的爲至剛斟酒，翡翠忙着從廚房端來小菜，又忙着佈碗佈筷。

至剛斜睨着雪珂，眼神是陰鬱而痛楚的。驟然間，他伸出手去，揑住了她的下巴。

『笑！』他命令的說：『對我笑！』

雪珂想擠出一個笑容，卻擠出了一滴淚水。

『妳！混帳！』至剛把雪珂用力一推，雪珂撞上了床柱，差點跌到地下去，翡翠慌忙扶住，回頭驚喊：

『少爺！』

『妳滾出去！』至剛抓住翡翠的肩，就往門外推：『出去！出去！那有這樣不識趣的丫頭，杵在別人夫妻中間礙手礙腳！妳再這樣不懂事，我就把妳送到吳將軍府裡去！看妳長得還標緻，說不定吳將軍會把妳賞給他手下的那個親信當姨太太！』

雪珂一驚，眞的害怕。吳將軍是段氏政府中的要員，駐守承德，經常去北京，聲名赫赫。至剛雖已退出政壇，和吳將軍卻拜了把子，一起聽戲，一起打獵，也一起做些生意。兩年前，羅家有個丫頭，和一個小廝私奔，就是吳將軍幫至剛追了回來，小廝被槍斃，丫頭跳了井。至剛則指桑駡槐的對雪珂嚷：

『我們羅家，一定祖墳葬得不好，怎麼總出些丟人現眼的事！以後無論有誰不規矩，絕對逃不出我的手掌心！』

雪珂怕吳將軍，承德人人怕吳將軍，翡翠也怕。對雪珂無助的看了一眼，翡翠只好懷着一顆不安的心，匆匆離去。

翡翠一走，至剛就甩上了房門。

『雪珂，到床上去！』他簡單明瞭的說。

雪珂再也壓制不住自己的難堪，她挺了挺胸。

『我不要！』

『妳說什麼？』至剛大聲問，氣得發抖。『妳是我的太太，不是嗎？妳卻冷冰冰的像一個冰柱！妳身上沒熱氣嗎？妳卻有熱氣爲別人赴湯蹈火！我眞想撕裂妳，撕開妳，看看妳這個冷漠的皮囊裡，包藏着怎樣的一顆心……』他糾纏着她，伸手去拉她胸前的衣服。

『至剛！』雪珂一閃，閃開了他，伸出雙手去，她握住了他那狂暴的手，哀懇的說：『八年了！至剛，我們這種彼此折磨的生活，已經過了八年了！你是這樣一個外表英俊，內心善良，帶着豪爽之氣，俠義之心的一個人，你爲什麼苦苦和我過不去？你已經有嘉珊了，有玉麟了，等於有個好幸福的家庭了！你就把這個不完美的我，給丟在一邊冷凍起來，讓我去自生自滅吧！』

『這就是妳的期望？』至剛盯着雪珂，聲音裡夾帶着深沉的痛楚和強烈的嫉妒。『妳不必用那些冠冕堂皇的字句來形容我！我既不善良也不豪爽，我小器，我自私，我虛榮，我嫉妒……我恨妳！』他搖撼着她，瘋狂般的搖撼着她，大吼大叫着：『從新婚之夜開始，妳就期望我把妳冷凍！別的妻子對丈夫唯命是從，巴結討好，生怕不得寵，妳呢？卻生怕會得寵！妳怎麼可以這樣羞辱一個做丈夫的心？踐踏一個男人的自尊？我恨妳！但是，我不讓妳平靜，我也不給妳安甯，我更不許妳去自生自滅，我就是要折磨妳……』

『不！不要！』雪珂凄然的大喊：『你放了我吧！你饒了我吧！』

雪珂想奪門而逃，至剛把她捉了回來，兩人開始拉扯掙扎，各喊各的。酒壺酒杯在拉扯中翻落地上，乒乒乓乓碎了一地。

同一時間，小雨點抱着一疊乾淨且摺好的被單，沿着迴廊走向雪珂的臥房，嘴裡還在喃喃背誦：

『馮媽交代的，第一件事，給少奶奶送被單，然後第二件事，去二姨太房裡收換洗的衣裳，第三件事，去問老太太吃什麼消夜，第四……』

小雨點突然站住了，聽到雪珂房裡驚天動地的聲響，又一眼看到翡翠，站在門外直發抖。小雨點大驚失色，驚慌的問：

『是誰……在欺侮少奶奶呀！』

才問完，她又聽到雪珂一聲尖叫：

『不要碰我！請你饒了我，饒了我……』

小雨點不假思索，就跑過去把房門一把推開，翡翠忙奔過來要阻止，已經來不及了，小雨點跑了進去，慌慌張張的喊着：

『少奶奶！妳怎麼了？是誰……』

至剛回頭看，目眥盡裂。

『又是妳這個臭丫頭！』至剛一揮手，給了小雨點一耳光，小雨點往後翻跌，被單落了一地，她小小的身子，摔落在後面的翡翠身上。

這一陣大鬧，終於把老太太和嘉珊都驚動了。老太太只看了一眼，心中已經有數，對雪珂不屑的輕哼了一聲，她抬頭看着至剛，責備的說：

『什麼事值得你這樣大呼小叫，鬧得全家不寧？』

嘉珊奔過來，急忙用小手絹給至剛擦汗，拉着他的胳臂，賠笑的說：

『好了！好了！我讓香菱重新燙一壺酒來，陪你好好的喝兩杯！走吧！』

嘉珊拉着至剛走了。老太太死瞪着雪珂。

『不要敬酒不吃吃罰酒！』老太太的聲音堅硬如寒冰。『咱們走着瞧！』一轉身，老太太也走了。

雪珂驚魂甫定，和翡翠兩人都奔過去檢查小雨點。

『小雨點，傷到了沒有？前幾天挨打還沒好，又摔這麼一跤，快起來給我看看！』雪珂說，去扶小雨點。

小雨點呆呆坐在地上，瞪視着一地的被單，不言也不語。

『小雨點，』翡翠不禁怔了怔。『怎麼不說話？是不是嚇傻了？少奶奶在問妳話呢！』

小雨點這才抬頭，怯怯的看着兩人，臉上，掛下兩行淚珠。

『我完了！』她小小聲的說：『我弄髒了被單，回去馮媽一定要打我的！』

雪珂心中一痛，深深的看了小雨點一眼，就一把把她緊摟懷中。

『原來，馮媽常常打妳，是不是？』她說，憐惜的摸着小雨點的頭。『妳奶奶眞是選錯了人家呀！承德幾千幾百戶人家，她怎麼會偏偏把妳送到羅家來？』

6

十天後，在承德市的清風街，新開了一家店，是個二層樓的、古雅的小樓房，裡面賣的是古董、玉器、字畫、擺飾、印鑑……各種五花八門的小玩意。店裡的擺設雅致清爽，頗具匠心。店的名字，也很風雅脫俗，名叫『寒玉樓』。

轉眼間，到了初一，又是羅家去普寧寺上香的日子。

有了上次的教訓，這次雪珂緊跟在羅老太太身邊，寸步不離，目不斜視。上完香，祈完福，廣場上有些什麼小販行人，她全都不知道。出了廟門，先把老太太扶上第一輛車，她和翡翠才往第二輛車走去。剛舉步，有個小伙子騎了輛自行車，從坡道上往下滑，大概是煞車壞了還是怎麼的，車子直衝過來，撞上了翡翠。

『哎喲！』翡翠輕喊着。

『對不起，對不起！』小伙子直鞠躬，伸手去攙翡翠，閃電般的，已在翡翠手中塞了個小紙條。一面低聲說了句：『給格格，要緊要緊。』騎上車子，小伙子飛一般的去了。

『怎樣？翡翠？』雪珂關心的問：『有沒有撞着那兒？傷了那兒？』

『沒，沒，沒事！』翡翠結舌的說，眼光追着小伙子，卻已人跡杳然。『咱們上車，快走吧！』

回到羅府，雪珂才進臥室，翡翠已急忙關門關窗子。雪珂詫異的看着翡翠，這丫頭怎麼了？自從廟門口被撞了一下，就魂不守舍，臉色蒼白。

『怎麼了？』她不解的問。

『格格呀！』翡翠低聲說：『妳瞧這是什麼？』

翡翠攤開手掌，掌心裡，躺着一個打着萬字結的紙條，被翡翠握得那麼緊，萬字結都歪曲了。

『哪兒來的？』雪珂的心臟怦然一跳，感染了翡翠的緊張。

『就是撞我的那個小伙子呀，他塞給我的，還對我說：「給格格，要緊要緊。」』

雪珂的心臟，又狂跳了兩下，迅速的，她取過那紙條。萬字結！好熟悉的打法，以前悄悄給亞蒙寫信，總是打個萬字結。那時，見一次面好難，也要等到上香，或是跟周嬤上街的時候才見得着，見了面，彼此一定交換一個萬字結……可能嗎？雪珂的手顫抖着，呼吸急促而不穩定，心怦怦的跳個不停……好不容易，總算打開了那張紙條，只見上面寫着幾個大字：

『寒玉樓

承德市清風街十五號』

她怔忡着，翡翠小聲說：

『後面還有字！』

雪珂把紙條一翻，只見上面寫着：

『小店有潔白美玉一只；冒昧懇請夫人前來一觀！』

雪珂整個人驚呆了，抬起頭來，她的兩眼綻放着光芒，臉色蒼白如紙，卻在那閃亮的眸子映照下，出奇的美。翡翠好多年都沒有在雪珂臉上看到過這樣的光采。雪珂一手攥緊了紙條，一手攞緊了翡翠。

『他來了！』她低低的，急促的說：『他在承德，他就在這個寒玉樓裡；雪中之玉，必然耐寒！這是他對我說的最後一句話！這是他的字跡，他的萬字結，他的寒玉樓！……他來了！』她越來越激動，越來越確信。『翡翠，』她眼光狂熱，聲音迫切：『妳要想法子，讓我出羅家的大門……讓我去見他一面！妳要想法子，因為我不能等，我恨不得現在就插翅飛去呀！』

雪珂雖然不能等，她卻非等不可。翡翠在羅家，比雪珂更沒有分量，她挖空了心機，也想不出怎樣可以安排出理由，讓雪珂出門一趟。但是，雪珂出不了門，她卻可以出門，羅家的一些雜事，買針線、買零食、打油、打醋，以及柴米油鹽……翡翠往往是馮媽的下手。以前，深恨馮媽差遣她出門辦事，現在卻巴不得馮媽差遣她去辦事。終於機會來了，家裡的肥皂用完了，翡翠自動自發的出門去買。一出了羅家大門，她就直奔清風街寒玉樓。

來接待她的，正是撞她的小伙子。

『翡翠姐，』阿德笑嘻嘻的喊：『我名叫阿德，我家少爺在樓上！』

『你家少爺？』翡翠有點迷糊。亞蒙什麼時候變成少爺了？這之中有無差錯？是不是雪珂一廂情願認錯了人？

帶着滿腔的狐疑，翡翠上了樓。

於是，翡翠見着了一別九年的顧亞蒙！

回到羅家，翡翠興沖沖從大門一路嚷進來：

『格格，我遇見舅老爺了！他從北京來度假，住在山莊裡，他說，趕明兒要到羅府裡來拜見老太太呢！』

『哼！』羅老太哼了一聲，舅老爺？她打心眼兒裡討厭那位舅老爺！以前是皇親國戚，現在已經不值錢了！偏有那種舅老爺，總以爲自己的地位永遠不變，抓着人就只會談當年之勇。『轉告舅老爺，他難得度假，不必客套了！』

『哦？』翡翠一呆，那『碰了一鼻子灰』的『蠢像』使老太太暗中得意。『那……』翡翠爲難的。『格格，』她求救似的看着一臉茫然和焦灼的雪珂。『趕明兒，我陪妳去見舅老爺吧！』

『對啊！』老太太吸着水煙管，呼嚕呼嚕的。『見着舅老爺，就說至剛忙，也沒時間去拜見了！』

『哦！』雪珂好半晌，才應出一個字來。

翡翠偷窺了雪珂一眼，主僕二人，好不容易，才抽身回到臥房裡。

一關上房門，翡翠就一把抓住雪珂，急切的說：

『我見到亞蒙少爺了！他現在換了一個名字，叫作高寒，寒玉樓就是他開的，爲格格而開的！』

原來，他七年前就逃出了喀拉村，在陝西境內，遇到了一位貴人，是福建來的高老爺，兩人談得一投機，高老爺就收了亞蒙少爺當義子，改名叫高寒。把他帶到福建，做起古玩玉器的生意來……這樣一待就是七年，亞蒙少爺一直不肯成親，還對格格念念不忘，所以，高老爺就派了他的徒兒阿德，保護亞蒙少爺來北京尋親，那徒兒，就是昨天在普寧寺門口撞了我的小伙子！』

翡翠太興奮了，說得七顛八倒毫無章法。雪珂卻聽得眼睛都直了，聲音都啞了：

『果然……果然是亞蒙？』她只問重點。

『是，是，是！』翡翠一疊連聲答。

『那，那……我怎樣才能出去？』雪珂滿屋子打轉。

『所以，所以……』翡翠嚥着口水，從沒做過這麼大膽的事，喉嚨都乾了。『妳要去見舅老爺呀！明兒一早，我就陪妳去見舅老爺呀！』

雪珂瞪着翡翠，好丫頭！她沒辦法再細想了，滿腦子都是亞蒙，他來了！他真的來了！亞蒙亞蒙，她心中千迴百轉的喊着，只要再見你一面，我這一生，死而無憾了！

終於，雪珂和高寒，面對面的站在寒玉樓的樓上了。

寒玉樓關起了店門，阿德泡了一壺好茶，和翡翠在樓下品茶。讓雪珂和高寒，一敍九年來的別後種種。

高寒目不轉睛的望着雪珂，雪珂也目不轉睛的望着高寒。兩人的目光，就這樣痴痴的，痴痴的糾纏在一起，兩人心中，都有千言萬語，但是，此時此刻，卻誰都開不了口。『從別後，憶相逢，幾回魂夢與君同。今宵剩把銀釭照，惟恐相逢是夢中！』眞的，惟恐相逢是夢中！誰都害怕，一開口就把這個夢驚醒了。

時間不知道過去了多久，雪珂的臉上，掛下了兩行淚珠。

這淚，使高寒喉中哽着，眼眶發熱，男兒有淚不輕彈，只是未到傷心處！在新疆，面對獄卒的鞭打，在流亡的歲月裡，面對饑寒凍餒，多少悲痛與無助的時刻，高寒從未下過淚，可是，此時此刻，淚卻奪眶而出了。

雪珂看着高寒的淚，再也忍不住，她往前一衝。

情不自禁的，兩人就這樣擁抱在一起了。

許久許久，兩人才抬起滿是淚痕的臉孔，透過淚霧，打量着對方。雪珂抬起左手，去揩拭淚水，面前的亞蒙，是這樣一表堂堂，英俊儒雅啊！比起九年前，卻更有動人心處！

她這一抬手，高寒觸目所及，是那金指套！他渾身一震，握住了這隻手，他緊盯着這指套，顫聲說：

『雪珂，妳對我如此情深義重，新婚之夜竟然和盤托出，不惜自毀婚姻，還被迫自殘……』

『這都是許多年前的舊事了，你何必……』

『不！對我不是！』高寒激動萬分的說：『許許多多事情，我昨天才從翡翠嘴裡得知，斷指不過是不幸的開始！之後，妳的丈夫和婆婆便百般折磨妳，虐待妳！雪珂，八年來妳所受的痛苦和委屈，我雖無法盡數皆知，但是，光聽翡翠陳述幾件事，我已經受不了！妳這一切全是爲了我，可是妳在受苦的時候，我卻不能保護妳！這……使我心裡……加倍加倍的痛啊！』

雪珂聽着這樣的話，九年後，還能聽到亞蒙這樣體恤的話！血沒有白流，淚沒有白流。

『雪中之玉，必然耐寒！』她低低的，熱切的說。『你對我有這樣的期許，我自當熬過冰雪和酷寒！今天能夠再見一面，所有的等待和艱苦，都已經值得了！』

『所有的等待和艱苦，都已經「結束」了！』高寒有力的說：『我終於又找到了妳，我們要重新開始，讓我來補償妳，回報妳……』

『你在說些什麼，』雪珂心慌起來。『我不要你補償和回報，能再見一面，我已心滿意足……』

『哦，妳不能！』高寒激烈的喊：『再見一面，才讓我們瞭解彼此愛得有多深，有多強烈，有多持久……帶着這樣強烈的感情，妳怎能回到另一個男人的身邊？』他雙手握住她的雙臂，穩定着她的身子，看進她眼睛深處去。『聽我說，上個月十五，我在普寧寺偷偷見了妳，當時，我誤以爲那個小男孩是妳的兒子，即使如此，我都沒有放棄重新爭取妳的決心！昨天我聽翡翠說，才知道那是二房所生的孩子，妳八年來並無所出，那麼，妳對羅家，應該是無牽無掛了！』

『可是……』雪珂慚愧的說：『八年來，我也未能爲你守身如玉啊！』

高寒震動的抱緊了雪珂。

『我若是心裡還計較着這個，我就簡直不是人！』他再看雪珂，心神俱碎。『雪珂，妳是我今生唯一的妻子呀！讓我告訴妳，我——要——妳——回——到——我——身——邊——來！』

『不！不！不！』雪珂驚慌的喊着。『我們今天能再見一面，已是上天的恩寵，我們不要太貪心！你現在已有義父視你如己出，又將傳你家業，你就應該知福惜福，好好報答人家，你應該忘掉我，娶妻生子，爲自己開創一個嶄新的人生，一個屬於高寒的新生命……』

『我已經有妻子有孩子了！』高寒固執的。『我不需要什麼新生命，我要的，是找回我生命中所失去的一切！』

『那一切再也找不回來了呀！現在的我，是羅家的媳婦兒，我們都改變不了這個事實……』

『雪珂！』高寒握緊了她的手，深刻的說：『世界上沒有「無法改變」的事，滿清都可以變民國呢！問題是我們彼此的決心！難道妳不想和我，和我娘，還有我們的女兒，一家團聚嗎？』

『女兒？』雪珂太震動了。『你怎麼知道是個女兒？』

『妳娘親口告訴我的！我去過王府，見過妳父母，我除了找尋妳，也要追回我的親骨肉啊！』

『我娘親口說的？』雪珂抬頭，雙眼灼熱的閃着光，語音急促而顫抖。『是個女兒？是個女兒？』

『是的！妳娘說，她粉妝玉琢，一出生就會笑！』

『她現在在那裡？在那裡？』

『妳娘把她交給了我娘，又給了盤纏，讓她們去喀拉村找我……』

『所以，』雪珂迫不及待的打斷。『你們母子、父女都已經團聚在一起了？』

『沒有！』高寒淒然說：『我想，我們是在路上錯過了！或者，我娘始終沒找到什麼喀拉村，那本就是個荒涼無比的山區。找不到我，娘也不敢回北京，妳知道她，對改朝換代這回事弄不清楚，她怕王爺怕得要死……』

『這麼說，孩子跟着周嬤，已經下落不明？』雪珂尖聲問，整顆心都扭成一團。

『妳別急，』高寒安慰的緊握了她一下。『我想，有一點足以讓我們安慰的，是她一定會得到妥善的照顧，我娘會用全心全意來疼她來愛她的！所以……不管她們流落在什麼地方，我們那女兒……一定活得很好！』

雪珂怔着。在一日之間，重新見到亞蒙，又知道以前的孩子是個女兒，再知道女兒跟了周嬤，而今又下落不明……這種種，實在讓人太震撼了！其中的大悲大喜，幾乎不是她所能承受的了。腦中的思緒，在一瞬間，已混亂如麻，簡直不知從何整理才好。

『亞蒙，亞蒙……』她終於又有力氣說話了。

『是。』

『去找孩子！去找你娘！』她急促的說：『放掉我，不要再管我了！如果你對我還有一份情，用到孩子身上去！我求求你……』她的淚又湧了上來：『那孩子，從出生到現在，八歲了！沒見過爹，沒見過娘……雖有個奶奶，畢竟不能取代爹娘的位置，好可憐的孩子！你，但分還有一些兒愛我，你就趕快去尋訪那祖孫兩個！』

『我答應妳，我答應妳，』高寒一疊連聲的說：『我去找尋她們，但是，妳和我一起去！』

『亞蒙！』她驚喊。『你根本不瞭解我現在的處境，是嗎？』

『至少，想一想！』他迫切的說：『除非……』

『除非什麼？』

『除非——妳對他已有了感情，畢竟做了八年夫妻！』

『亞蒙！』她再驚喊。

『帕』的一聲，他重重甩了自己一耳光。

『你幹嘛？』她去抓他的手。

『應該不嫉妒，應該不要說這句話，應該連想都不要想，應該……』他回身，一拳用力的捶在窗櫺上。『去它的應該這個應該那個！』他再回身，眼睛紅紅的。『想到妳馬上要從我這兒，回到他身邊，我就嫉妒得快發狂了！這種情緒下，妳教我怎能丟下妳，去找孩子？』

『亞蒙！』她再喊一聲，投入了他的懷裡，簡直柔腸百折，寸寸皆碎了。

雪珂第二次溜到寒玉樓，是趁羅家全家老少都去看戲的時候，她悄悄的，和翡翠兩個，披着暗綠色的斗篷，就從後門溜出去了。她只有一個時辰可以耽擱，因而，見了高寒，她立刻就說要點：

『我已經想過幾百次幾千次，要我跟你一起走，那是決不可能的事！九年前，我可以和你私奔，那是因爲我認定你是我的丈夫……』

『現在，妳已經不認我這個丈夫了？』高寒憋着氣說。『現在，妳認定的是另一個丈夫了？』

『亞蒙，請你講講理好不好？』雪珂悲喊着。『以前，我父親是個王爺，有權有勢有人馬，我們逃不掉！現在，至剛和那吳將軍，是拜把兄弟，照樣有權有勢有人馬！兩年前家裡的丫頭蓮兒私奔，還是被捉了回來……時代雖然變了，有很多人情世故，仍然不變！這個社會，對於不貞不潔的女人，觀念也仍然不變！亞蒙……』她哀聲說：『私奔這回事，我做過一次，再沒勇氣做第二次了！』

『聽我說！』他抓住她的雙肩，語氣激烈的。『我們不私奔，我們去找那個羅至剛，曉以大義！他也是讀書人，他也知道妳和我成親在前……』

『不！』雪珂恐懼的退後一步，緊盯着高寒。『你不瞭解至剛，他不會放了我的！你的存在，是我全身洗刷不掉的汚點，是他這輩子最深刻的恥辱，你如果出現，他會殺了你的！』

『雪珂，』高寒挺了挺背脊：『如果怕死，我今天也不會來承德了！』

『好，好，你不怕死！』雪珂忍着淚，哽咽的說：『但是，我怕！我好怕好怕你會死，現在，已經不是爲了我怕，而是爲了我們那苦命的孩子而怕！』她捉住他的衣襟，哀求的拉扯着：『亞蒙，我們都是成年人了，不要再做不成熟的事！請你想想我們那失蹤的孩子，就算你不想她，也請你想想你的老娘吧！那周嬤，她今年都已經五十好幾了……』

『五十四歲！』高寒忍不住接口。『明天，就是她老人家五十四歲的生日，妳忘了？』

雪珂一怔。確實忘了。在羅家，每天面對的日子都像打仗，怎麼會記住周嬤的生日！雪珂心中惻然，那周嬤，算來也是她的婆婆呢！羅老太太每年過壽，她三跪九叩行禮如儀，家裡張燈結綵賀客盈門。而周嬤的生日，她卻給忘了！

『哦！明天是她老人家的生日！』雪珂悲涼的說：『我一定要在房裡，給她遙遙的磕個頭，祝她老人家長命百歲！』她驀的仰起頭來，更哀切的懇求着：『你瞧！你娘已經五十四歲了，帶着一個小女孩兒，她怎樣謀生？怎樣過活呀？也許她們祖孫兩個，相依爲命，正到了山窮水盡的地步，也許她們正遇到什麼困難，卻叫天不應，叫地不靈……而我們兩個，還坐在這裡空談！我們這樣麻木不仁，還算是爲人子，和爲人父母的嗎？』

『好了！好了！妳不要激動。』高寒握緊了雪珂。『妳要我怎麼做，我聽妳的，行嗎？』

『去找周嬤去！去找孩子去！』

『雪珂啊，妳以爲我不想找她們嗎？但是中國這麼大，妳讓我從何找起？本以爲妳會有她們的消息……我娘，怎會不設法跟妳聯絡呢？連妳都沒線索，我要去找她們，眞像大海撈針一樣難啊！』

『你可以從北京開始，一路找到新疆去……』

『對！妳這個想法，和我一樣……』

『那麼，你還猶豫什麼！』她大喊着：『你去吧！馬上去吧！求求你去吧！』她搖撼他，一疊連聲的喊：『求求你，求求你，求求你……』

高寒凝視着雪珂，終於點下了頭。

雪珂一個激動，淚水，又滾落了面頰。高寒痛楚的把雪珂一摟，雪珂的淚，從他的肩胛，一直燙到他的五臟去，燙得整個心胸，無一處不痛。

『不過，答應我一件事！』他啞聲說。

『什麼？』她哽咽的問。

『如果我找着找着，還沒找到結果，就又突然跑回承德來，請不要生氣！畢竟，我娘和孩子，下落不明。而我那生死相隨、天地爲證的妻子，卻在承德呀！』

雪珂的淚，更加洶湧而出，一發不止了。

7

在羅家的後院，還保存着一個古老的磨房。老太太喜歡吃自己家磨出來的豆漿，自己家做的豆腐。所以，小雨點和碧蘿，這些日子以來，常常徹夜在磨房磨豆子。那石磨是相當沉重的，兩個孩子必須把身子整個掛在那橫槓上，才能用本身的重量，推着那石磨往前轉動。

這晚，兩個孩子又在磨豆子，小雨點看來神思恍惚。

『碧蘿姐姐，』她忽然抬起頭來問：『咱們若是想出去，該怎麼辦呀？』

『出去？不可能的！』碧蘿詫異的說：『除非是像今兒個出去看戲，就會帶綠姐藍姐去伺候茶水，不然，就是派出去買東西……那都是大姐姐們才有的份兒，輪不到咱們頭上！』

『那……』小雨點急了起來。『那我都不能去看奶奶了嗎？明兒是我奶奶的生日呀！以前奶奶過生日，我都會剪壽字圖給她，我們一起吃蛋、吃麵，現在她不在了，我想，把壽字圖和麵線，擺在她墳前給她……』

碧蘿一呆。

『唉，妳想想就算了！要不然就在咱們房裡擺一擺吧！妳要出羅家大門，是不可能的事！』

小雨點直起腰來，石磨也跟着停了。她想了想，忽然往磨房外面就飛奔而去。

『我去求馮媽去！』

『哎，小雨點兒！小雨點兒！別找罵挨呀……』碧蘿眼看小雨點已跑得無蹤無影，慌忙跟着跑出去。

果然，馮媽氣得掀眉瞪眼。

『上墳？妳當妳是千金小姐，還是怎的？又不是清明，又不是七月半，妳好端端要上墳？不許去！』

『可是，』小雨點急急的說：『明兒是我奶奶的生日……』

『死人還過什麼生日！』

『馮媽，求求妳給我去，我很快就回來嘛！妳交代給我的工作，我一定做完，我還加倍做……』

『不許就是不許！』馮媽厲聲說：『妳們兩個，豆子磨完沒有？趕快給我滾回磨房裡去！』馮媽伸出指頭，對着小雨點頭上就是一戳。『妳這個小腦袋，一腦袋歪主意，想溜出去玩，門都沒有！』

小雨點噙着滿眼眶的淚，回到磨房。拚命推着那沈重的石磨，磨子發出咕嚕咕嚕的聲響。每一聲都像是無奈的嘆息。

第二天上午，羅府發生一件大事，小雨點逃跑了。

羅老太震怒極了，坐在大廳內，把所有丫頭僕人都叫來罵，連雪珂、嘉珊、翡翠都侍立一旁聽訓。幸好至剛一早就出去了，沒有參與這場審問。馮媽首當其衝，被老太指着鼻子罵個沒停：

『妳怎麼帶人，怎麼教人的？一個小丫頭妳都管不了？妳還能做什麼？』

『老太太！』馮媽垮着臉，急急申辯着。『不是我不會帶人，是小雨點太頑劣了！她不比其他丫頭，都來自清清白白的人家，她沒爹沒娘教她規矩，是老太太可憐她，才收容下來的！打從一進門，她就不肯聽話，大禍小禍不知闖了多少，我爲了管教她，少不得打打罵罵，誰知她就逃跑了……』

『丟了一個小丫頭沒關係，』老太氣得臉發青：『可是想想看，這丫頭跑出去，會說咱們家多少壞話，欺侮她、打她、罵她、虐待她……傳出去咱們羅家還做人嗎？老閔，你給我派人去把她給追回來！』

『是！』老閔行了個禮，轉身就要走。

『回來回來！』老太喊：『你沒門沒路的到那兒去找？那孩子在承德市還有家人親戚嗎？』

碧蘿再也忍不住了，往前面一跪。

『老太太，』碧蘿急切的說：『我想小雨點沒有逃走，她只是去給她的奶奶上墳去了！』

『上墳？』老太太驚訝極了，瞪着碧蘿。

『是啊！小雨點昨晚哭了一夜，剪了好多壽字圖，麵線也沒有，她不敢去廚房裡拿，怕馮媽罵她。昨天，她也求過馮媽，給她去上墳，因爲今天，是她奶奶的生日呀！』

『哐啷』一聲，雪珂手中的茶杯落地，砸成粉碎。

老太回頭，怒瞪雪珂一眼。

『妳怎麼了？』

『是，是，是我不好，』翡翠急忙說，彎腰去拾茶杯碎片。『茶杯太燙，太燙……』

雪珂什麼都聽不見了。小雨點去上奶奶的墳，因爲今天是奶奶的生日，天哪！小雨點，小雨點，小雨點……今年八歲，沒爹沒娘，只有一個奶奶！承德有幾千幾百戶人家，卻偏偏送進羅家來！天哪，小雨點，小雨點，小雨點……

老太太顧不得雪珂，又掉頭去審馮媽。

『有沒有這回事？』

『有的！』馮媽低下頭去。

『誰知道她那個奶奶葬在什麼地方？』

老閔挺身而出。

『我知道，是在西郊的亂葬崗裡。』

『你趕快去把她追回來！』

『是！』

雪珂忽然聽見了，眼光直直的往前一追。

『我也去！』

老太太眉頭一皺，看着雪珂。雪珂的臉色，蒼白如紙。整個人瘦骨伶仃，似乎風吹一吹就會倒。這樣的女人，像個幽靈，眞弄不懂至剛爲什麼不休了她。嫁到羅家來八年，對什麼事都不關心，只有對這個小丫頭，喜歡得厲害。或者，因爲她自己沒有孩子吧！是的，她對玉麟，也是疼得厲害。老天爲了懲罰這個女人的不貞，所以，不給她一男半女！她生命中，必然也有缺陷吧！老太這麼一想，心中竟掠過一絲悲憫之情。雖然追一個小丫頭，實在犯不着勞師動衆，但雪珂自告奮勇要去，就讓她去吧！

『翡翠，妳跟着去！如果她眞在上墳，帶回來就是了！不必過責，總算她是一番孝心！如果是跑了，給我一路尋訪一下，去那個什麼客棧問問，想辦法追回來！』

『是！』翡翠忙不迭的點頭，忙不迭的追着雪珂而去。

上了馬車，老閔才發動了車子，雪珂就一把握緊了翡翠的手，握得那麼緊，把翡翠都握痛了。雪珂眼裡，有焦灼，有期待，有惶恐，有渴望……有淚。翡翠對雪珂悄然搖頭，指指馬車上的老閔。雪珂的牙齒，咬住了下嘴唇，要克制自己，要克制自己……她拚命的咬住嘴唇，手指掐進了翡翠的手心裡。

車子停在亂葬崗，雪珂和翡翠跳下車來。

亂葬崗到處都是無主的孤墳，天際，秋雲密佈，地上，落葉亂飄。雪珂一抬眼，就看到亂墳深處，小雨點孤獨的身影，正跪在一堆黃土之前。她那小小的個子，在那綿延無盡的山峰與亂塚間，顯得那麼渺小，那麼淒涼。雪珂的心臟，一下子就收緊了，收成了一團，說不出來的痛。

『老閔！你在這兒等着，我和翡翠去勸她！』雪珂命令的說。到羅家以來，這是第一次，對老閔用了命令的語氣。

老閔點頭。

雪珂和翡翠，一腳高一腳低的直奔小雨點而來。

雪珂觸目所及，是墓碑上那潦草的四個字：

『周氏之墓』

『啊！』雪珂悲呼一聲，兩腿一軟，雙膝點地。翡翠眼中一熱，淚水盈眶，跟着也跪下去了。

『少奶奶！翡翠姐姐！』小雨點驚呼着，不勝惶恐之至，回過身子，呆望着雪珂：『對不起，對不起，對不起，』她一疊連聲的說：『我一定要來給奶奶上墳，跟她說說話，我有好多好多話，一定一定要告訴奶奶，對不起，害妳們來找我！』

雪珂一瞬也不瞬的盯着小雨點，那兩道清楚的眉毛，那挺直的小鼻梁，那眼神兒，分明就是亞蒙第二！怎麼自己竟看不出來？那嘴巴和臉龐兒，竟是自己的縮影啊！小雨點兒！小雨點兒！她心中瘋狂般的大喊：我那苦命的孩子啊！伸出手去，她顫抖的握住小雨點的肩，激動得不能自已。

『少奶奶，妳怎麼了？』小雨點不解的問，有些害怕。『妳生我的氣了？』

『不不不！』雪珂啞着嗓子，淒楚至極。『我不生妳的氣，我生我自己的氣！小雨點兒，請妳好好告訴我，妳奶奶有沒有跟妳說過，妳的爹呢？妳的娘呢？』

『我娘……死了！』小雨點有點猶豫的說：『我爹，他在新疆採礦，新疆好遠好遠，我還是個小娃娃的時候，奶奶就帶着我去新疆找我爹，可是沒找着，然後，我們就一直找，一直找，到過許許多多地方，都沒找到，後來，奶奶病了，就爲了給奶奶治病，我才賣進來當丫頭，現在奶奶走了，我也再不能去找我爹了！』

小雨點說着，淚水就滾落面頰。

雪珂的手更加顫抖了，聲音更加沙啞了：

『小雨點，妳的生日呢？是幾月幾號？』

『是六月初十！』小雨點衝口而出。『奶奶說，我娘生我那天，正在下雨，奶奶抱着我，看到滿湖裡都是小雨點，就說，取個容易帶的名字吧，就叫我小雨點兒！』

翡翠用手蒙着嘴，情不自禁，哭出聲音來。往周嬤墳前移了兩步，她虔誠的磕下頭去。

雪珂則一把緊擁住小雨點，淚珠瘋狂般的滾落，她語無倫次的，一疊連聲的說：

『好了！好了！現在妳到我身邊了！我的小雨點兒！妳的奶奶……她用心良苦！在她去世以前，原來，原來……做了這麼周到的安排！老天哪！』她推開小雨點，也對周嬤磕下頭去。周嬤，我們母女已經團圓，妳在九泉之下，請安息吧！

小雨點十分困惑的看着雪珂和翡翠，吸了吸鼻子，她太感動了。小小聲的，她說：

『妳們都給我奶奶磕頭呀？爲什麼呢？』

『因爲，』翡翠站起身來，首先穩定了自己，認真的說：『妳奶奶，是世界上最偉大的奶奶，我們和妳一樣尊敬她，愛她！』

小雨點嚴肅的點點頭，接受了這個理由。回頭，對周嬤的墳低聲說：

『奶奶，有這麼多人來看妳，妳一定很高興吧！』

雪珂忽然從地上直跳起來，緊張的抓住翡翠。

『老天啊！不知道亞蒙出發了沒？咱們得趕緊帶她去寒玉樓呀……』

翡翠大驚失色，立刻用力扯住了雪珂。

『我們要趕緊回羅家去！老閔在看着，老太太在等着……小雨點是羅府的丫頭，妳是少奶奶！什麼都沒改變！走！我們趕快回去，妳鎮定一點……唯有妳鎮定，我們才能從長計議！格格呀……』她低喊着：『別害了小雨點，別害了……寒玉樓的主人呀！』

雪珂淚盈盈，無言以對。

小雨點望着都成了淚人兒的雪珂與翡翠，困惑極了，怯生生的說：

『妳們不要哭了嘛！我不是故意犯錯的，現在給奶奶過完了生日，回去受罰，我也甘願了！』

『不不不！』雪珂激動的喊：『再也沒人能罰妳，我再也不讓任何人來動妳！我不許！不許！』

『格格，』翡翠憂心忡忡的說：『妳這樣子，怎麼回去呢？』她抬頭看看，深深的抽了一口氣：『老閔過來了！我們快走吧！』

一回到家裡，馮媽就氣沖沖的衝上來。

『妳好哇！可給逮回來了！』

馮媽說着，就要伸手。雪珂一步向前，護住小雨點，厲聲說：

『站開！不許碰她！』

馮媽頓然站住，一臉的錯愕。

翡翠趕緊對小雨點說：

『還不快去給老太太跪下！』

小雨點立刻上前，對老太太一跪，發着抖說：

『老太太，我回來了！』

老太太沉着臉哼了一聲，望着雪珂問：

『是怎麼個情形？』

雪珂的一雙眼睛，直是盯着小雨點，看到她顫巍巍跪在那兒，她恨不能去扶起她來。老太太的問話，她幾乎都沒有聽到。翡翠一急，上前了一步：

『老太太！小雨點眞的是去了她奶奶的墳前，她根本沒有逃跑的意思，請老太太體恤她一片孝心，從寬發落！』

老太太聽了，雖然心中一動，也有了惻隱之心，但，卻仍然緊繃着臉，嚴厲的說：

『不管什麼原因，沒有得到允許便私自出門，就是不對！小雨點兒，妳是個丫頭，丫頭就要有丫頭的分寸，妳上頭還有主子呢！妳是羅家花錢買來的，咱們供妳吃穿用度，妳就要聽咱們的使喚，不可以隨心所欲，要幹什麼就幹什麼！妳懂嗎？丫頭有丫頭的規矩，這是妳的命！妳要認命，守好一個做丫頭的本分，妳懂嗎？』

小雨點跪在那兒，不住的點頭。

雪珂站在那兒，卻心神俱碎了。

『馮媽，』老太太說：『把小雨點帶下去！叫她趕快幹活兒！』

『是！』

馮媽拖起小雨點，就沿着迴廊，一路拉走了。雪珂的眼光，緊緊的追着小雨點，覺得自己整顆心，也被馮媽一路拖走了。

回到了雪珂的臥室，翡翠又忙着關門關窗戶。

『格格，妳神志集中一點，醒一醒，咱們眞的要好好談一談！』翡翠着急的說。

雪珂抬起頭，熱切的看着翡翠。

『妳快點去！去把小雨點兒找來！就說我有活兒要給她幹，我不能讓她待在馮媽那兒，說不定她又會打她、擰她、折騰她……快去，快去呀……』

『格格！』翡翠一把握住了雪珂的手，急切的說：『妳冷靜下來好不好？』

『冷靜？』雪珂抬高了聲音：『妳怎麼可以教我冷靜？原來小雨點兒，她是我的女兒，我的親骨肉……』

翡翠嚇得臉孔刷白刷白，撲上去，她飛快的用手蒙住雪珂的嘴。雪珂一驚，接觸到翡翠警告的眼神，感到她蒙住自己的那隻手冰冷冰冷，她驀然醒覺了過來。

『格格，』翡翠低聲說：『剛剛這句話，只有妳知我知，在羅家屋簷下，妳是絕對不許再說！當心隔牆有耳！萬一傳到少爺或是老太太那兒，小雨點就永無翻身的餘地了！妳知道嗎？妳知道嗎？』

雪珂的眼睛睜得骨溜滾圓。

『所以，剛剛就應該把她帶去寒玉樓，應該交給亞蒙……哦，老天！』雪珂痛楚的抱住自己的頭，眞的心慌意亂了。『翡翠，我該不該告訴小雨點眞相呢？我不要她叫我少奶奶……』

『格格！妳不可以！絕對不可以！』翡翠瘋狂的搖着頭。『現在，大家的處境都極不安全，妳去對小雨點說眞相，妳怎麼知道她會如何反應，萬一小孩子受了刺激，把所有的事都鬧開，對妳，對小雨點，都是大災難呀！』

『這也不能，那也不能！』雪珂昏亂的說：『我怎樣才能保護我的小雨點呢？周嬤千方百計把她送到我這兒來，並不是眞要讓她當丫頭呀！』

『聽我說！』翡翠穩住了雪珂：『眼前我們先沉住氣，就當什麼事都沒發生，妳一定要小心翼翼，提醒自己，不可以和小雨點太接近，不要露出任何痕跡。然後，明天，我們說舅老爺快回北京了，找藉口出去，把這事情去告訴亞蒙少爺，大家再商量對策……好不好？好不好？』

雪珂可憐兮兮的看着翡翠。

『好，我聽妳的。』她說着，又舉步往門口走去。

『妳去哪兒？』

『去看看小雨點在幹什麼？』

翡翠把雪珂抓了回來，按進椅子裡。

『我的格格啊！』她低喊着：『妳別害她啊！她現在頂多是做做苦工，一旦身分暴露，她會活不成！妳，也會活不成呀！連在寒玉樓的亞蒙少爺，也會遭殃呀！』

雪珂重重的跌進椅子裡，此一刻，簡直五內俱焚，不知該如何是好了。

8

至剛雖然忙著茶莊和南北貨的生意，又忙著和吳將軍喝酒看戲打獵尋歡，但是，對家裡的一切大小事物，他並非全然不知。嘉珊是個賢淑而不多話的女子，不會在他耳邊嚼舌根打小報告。老太太威嚴莊重，除非發生了她無法處理的事，否則，她也不會用家務事來煩至剛。可是，馮媽就不一樣了，馮媽會乘上茶倒酒之便，隨時透露一些信息給至剛，不管是該說的或不該說的，不管是大事或者小事。

因而，小雨點去給奶奶上墳，雪珂出門去見舅老爺，雪珂親自追回小雨點……種種事情，至剛都知道了。他把每件事都放在心裡，暗中觀察著雪珂。有什麼事情不對了！他每根神經，每個直覺都在告訴他。雪珂身上臉上，綻放著某種不尋常的熱情，眼睛深處，總是閃耀著某種炙烈的光彩，這和她一貫的冷漠，有了極大的區分。至剛和雪珂相處時間不多，但已足夠讓他體會到她那奇怪的狂熱。是什麼東西引起的？一個小丫頭嗎？他決心要把雪珂藏在內心深處的一些東西找出來。

因此，當雪珂稟告老太太，要二度去訪舅老爺時，他比老太太答得還快：

『去吧！自從咱們到了承德，妳和娘家人見面機會不多！去吧！但是，去請安可以！去訴苦不行！如果回到家來，讓我看到妳眼睛腫腫的，我可不饒妳！既然要去，帶點禮物去，翡翠，把我上次從吉林帶回來的那幾根上好人參，帶去孝敬舅老爺，請舅老爺也帶兩盒給王爺！』

雪珂實在太意外了，至剛居然這麼好說話！但她沒有心思來研究至剛，全部的意志力都集中在唯一的一件事情上，快去寒玉樓，快把小雨點的事情告訴亞蒙！

雪珂前脚去了寒玉樓，至剛也後脚到了寒玉樓。

雪珂一見高寒，已經悲喜交集，完全不能控制自己，抓著高寒的手，她又搖又喊：

『謝謝老天，你還沒走！』

『我預計明天就起程，眞沒想到，走以前還能再見到妳一面！』高寒震動的說著，眼裡盛滿了驚喜不捨之情。

『不用去找了！那兒都不用去了！』雪珂急促的說，又是淚又是笑又是悲又是喜的。『我已經找到了我們的女兒！原來，你娘……她千方百計的，把孩子早已送進了羅家……而我卻不知道！』

『什麼？什麼？』高寒聽得糊塗極了。『這麼說，妳也見到我娘了？她在哪兒？孩子在哪兒？』

『孩子在羅家當小丫頭呀！名字叫小雨點兒！你娘……亞蒙，你不要太傷心，你娘已經去世了！她老人家在臨終前，安排小雨點到羅家當小丫頭，來不及見到我，就客死在長昇客棧……昨天，小雨點去西郊亂葬崗祭奶奶，我這才知道……她就是咱們的女兒呀！』

高寒目瞪口呆的看著雪珂。簡直不知道雪珂在說些什麼。

『你不懂嗎？』雪珂急壞了。『四個多月以前，你娘又病又弱，來到承德，自知已不久於人世，急於想把小雨點交到我手中，但侯門如海，她走投無路下，只好把小雨點賣到羅府來當丫頭！』她搖著高寒，迫切的喊：『亞蒙亞蒙，我們的女兒，就在我身邊呀！但是，我不能認她，不能救她，眼睜睜看著她在羅家做苦工……我們怎麼辦呀！亞蒙，你快想辦法，救小雨點呀！』

高寒仍然目瞪口呆。這突如而來的消息使他太震動了，太意外了，母親已逝，女兒竟在羅府當丫頭！不不，雪珂一定是想女兒想瘋了，才有這樣的幻覺！但是，但是，這多像周嬤的作風啊，當年，家道中落，她毅然進王府當差，是她唯一能想到的，挽救顧家之路。送小雨點去羅家當丫頭……高寒突然有了眞實感了：

『妳說，我娘葬在那兒？』

『西郊的亂葬崗，墳上只有四個字：「周氏之墓」，小雨點說，昨天是奶奶的生日！』

高寒眼睛一閉，痛楚的跌坐在椅子裡。

『娘！』他低聲說：『娘！妳一定已經山窮水盡，才會出此下策吧！』他痛定思痛，淚水奪眶而出。

『亞蒙，』雪珂仆過來，緊張的說：『過幾天，我想辦法把小雨點帶出來，交給你，你帶了她，立刻遠走高飛，到福建去……』

『妳呢？』高寒瞪大眼睛問。

『不要管我了！我得留在羅家應付一切，讓你們能安全撤離……』

『不行！』高寒激動說：『我們一起走！現在，一家人總算團圓了，我們一起走……』

高寒的話只說了一半，樓下，傳來阿德高了八度的招呼聲，聲音裡帶著強烈的，示警的意味：

『哎……這位少爺，你是要找人呢？還是要買東西？小店中有古董、有玉器、有印章、有字畫……喂喂，你怎麼一直往裡闖呢？』阿德聲音一兇：『樓上，是咱們的「藏玉樓」，如果你沒有和高老闆事先約定，是不能上樓的！』

雪珂和高寒大大一驚，兩人急忙分開，正驚疑中，翡翠已闖開門飛奔進來，急促的低語：

『不好了，少爺來了，八成是跟蹤咱們來的！亞蒙少爺，快快，有沒有什麼玉器石頭，快拿出一盒來挑……』

一句話提醒了高寒，快步走到古董櫃前，取出一個小抽屜，放在雪珂身邊小几上，才放好，阿德上樓的腳步聲已『咚咚咚』直響：

『莫非您要找羅家少奶奶？她在選玉器呢！來，這邊請，我帶路！』

至剛大踏步走上了樓，一眼就看到雪珂，正彎腰看著小几上的玉器，翡翠侍立一旁，而那位寒玉樓的主人，正背著手，站在窗邊等待著。至剛的眼光，滿屋子一掃，窗明几淨，是一間掛滿字畫的，雅致的書房。一時間，竟看不出絲毫的破綻。

『少爺！』翡翠驚愕的抬頭：『你怎麼也來了？』她這樣說，後面跟進來的阿德慌忙又打躬又作揖，笑嘻嘻的接口：

『原來您是羅大爺啊，怎麼不早說呢？這我可怠慢了！』說著，就跑到高寒面前：『趕快給您介紹，這位就是咱們的高老闆，高寒先生！』

高寒挺身而立，看了至剛一會兒，拱了拱手：

『幸會了！』

至剛注視著高寒，徇徇儒雅，五官端正，眉目間，有一股略帶憂鬱的深沉。此人看來，深不可測。高寒！至剛十分迷糊，十分困擾。抬起手，他也拱了拱。一轉身，他盯住雪珂。雪珂已站直了身子，昂著下巴，她直視著至剛，面色非常蒼白，眼神非常陰鬱。

『你……來幹什麼？』她問。

『妳能來，我不能來嗎？』他問。『妳又在這兒做什麼呢？』

翡翠急急一跺脚。

『少爺！你把格格的一番心意，完全破壞了！格格說，下月你過生日，要刻個印章送你，原想給你一個驚喜，不要你知道的，這樣一來，全泡湯了！』

至剛眼光銳利的掃了翡翠一眼，再盯向雪珂：

『眞的嗎？』

雪珂廢然一嘆，看來疲倦而蕭索。

『沒關係了！』她輕聲說，不知道是說給自己聽，還是說給至剛聽。『反正，不管是什麼理由，都不會讓人相信的。』她轉身去看高寒，莊重而嚴肅的點了點頭：『高先生，謝謝！』她在抽屜中取了一塊玉珮：『這個玉墜子，我先取回去，過兩天，翡翠會送錢來！』

『不用不用！』至剛往前跨了一步。『妳喜歡的東西，我送了！多少錢，我馬上付！』

『八十五元！』高寒只得說。

至剛走過去，拿起玉珮看了看，回頭看高寒，眼神裡帶著研判。

『高老闆眞是豪爽，算得便宜！』他打開腰間錢囊，取出銀票，付清了錢。驀的一回頭：『咱們走吧！』

高寒挺直了背脊，眼睜睜的看著雪珂和翡翠，跟著羅至剛頭也不回的走了。

『說！妳們去過寒玉樓幾次？快說！』至剛關起房門，把雪珂重重摔在床上，大聲的問。

翡翠還來不及開口，雪珂已經回答了：

『無數無數次！』

『妳是什麼意思？』至剛緊盯著雪珂，眼睛裡幾乎要冒出火來。

『你已經不信任我了！』雪珂從床上爬起身，大聲的說。『我也不想再撒謊了！你只需要調查一下，就會知道我舅舅已經回北京了……今天出門的理由，根本就是個藉口……原來，你答應得爽快，是因爲你起了疑心，存心要去捉我的……你瞧，』她的眼神悲苦而憤怒。『我們之間，已經如此惡劣了，我要找藉口才能出去，你要跟蹤我，才能確定我的行蹤……我們必須這樣繼續下去嗎？你不覺得，這樣的日子，對我們兩個都是悲劇嗎？』

至剛忽然有些害怕起來，他又在雪珂眼底，看到毅然斷指那種壯烈的神韻。他正要說什麼，翡翠已撲上前來，哀怨的嚷：

『少爺！你不要冤枉了格格！你也知道格格這個人，逼急了就會豁出去的！豁出去就什麼也不顧的！弄個玉石俱焚，兩敗俱傷有什麼好？弄得大家都活不成，又有什麼好？不管怎樣，都要給自己一條生路呀！少爺，你要給格格一條生路呀！格格，』翡翠抓著雪珂的手搖了搖：『妳別爲了嘔氣，就胡招亂招，把什麼罪名都扛了下來！妳屈打成招沒關係，豈不要冤枉很多人？妳，也要給……妳身邊的人留餘地呀……』

點！

雪珂被喚醒了，震動的，驚慌的看翡翠，頓時冒出一身冷汗。差點害了亞蒙，差點害了小雨點！

至剛懷疑的看著翡翠，這丫頭如此激動，看來是眞情流露，如果眞的冤枉了雪珂？他心中一動，不禁斜睨著雪珂，那淒苦的眼眸，那無言的悲戚……他心中又一動。

『翡翠！』他喊，語氣已經有些軟化。『到底妳們去了寒玉樓幾次？』

『兩次！』翡翠斬釘截鐵的說：『第一次路過，爲了好奇進去看看。第二次就是今天！』

『爲了什麼進去？』至剛掉頭看雪珂：『雪珂，妳說，我要妳親口告訴我！』

『想爲你選一塊田黃，』雪珂迎視著至剛的眼光，深吸了口氣。『又看中一塊雞血石，不知道你喜歡那一樣？你什麼好東西都有了，所以，覺得給你選禮物好難好難！』

至剛目不轉睛的，一瞬也不瞬的注視著雪珂。

『從什麼時候開始，妳對我用起心來？爲什麼？』

雪珂垂頭不語。

『我再問妳一遍，妳眞的是爲我去選生日禮物嗎？』

『眞的！』

至剛又看了雪珂好一會兒。

『我希望妳不是在騙我，因爲，是眞是假，大家很快都會弄清楚，那個寒玉樓的底細，我只要稍微摸一摸，也會摸清楚！但是，我眞心眞意希望妳沒有騙我……八年以來，這是妳第一次對我用心……』他近乎苦澀的一笑。『妳居然讓我受寵若驚呢！』他一伸手，托起了雪珂的下巴。『不過，我不是傻瓜，所以不要愚弄我。很多事，我看在眼裡，放在心裡！從今天起，不管妳以任何理由，妳和翡翠，都不許單獨出門！妳要去買什麼雞血石鴨血石，都得和我一起去！讓我清清楚楚的告訴妳：我不需要意外和驚喜，我只需要妳的忠實！』說完，他一把推開她，大踏步的出門去了。

雪珂和翡翠，面面相覷。

『他把我們給軟禁了？』她不相信的說：『現在，連寒玉樓都亮了相了！完了！這下子，誰能把小雨點送出去？誰能通知亞蒙，讓他趕快離開呢？』

同一時間，高寒和阿德正佇立在周嬤的墳前。

找到了這座墳，高寒終於瞭解到，雪珂所說的每句話，都是眞的，不是幻想了。周氏之墓！

簡簡單單的四個字，一抔黃土，荒荒涼涼的一座墳。葬進去的，是多少血淚與坎坷，多少痛苦與辛酸。直到臨終，還抱著無法親自把小雨點交到雪珂手中的遺憾，以及獨生子不知下落的牽掛！周嬤，她走得一定很無奈，很不甘心吧！

高寒跪了下去。

『娘，我不能報答您的親恩，在您的晚年，沒有親身侍奉，還害您爲了我，到處飄泊流浪，長年受苦受難，最後客死異鄉，我，眞是罪該萬死呀！娘，請您原諒我！請您原諒我！』

他重重的磕下頭去。

阿德上前一步，也對著周嬤的墳跪下，拜了幾拜。

『老太太！』阿德朗聲說：『我想，您在天之靈，一定會告訴少爺，與其悲傷不已，不如化悲哀爲力量，去救您的兒媳和孫女兒，以求一家團圓吧！唯有一家團圓，您才會含笑於九泉吧！』

高寒被提醒了，看著阿德。

阿德一伸手，扶起了高寒。

『阿德，你說得對！我一定要救出雪珂和小雨點兒，才不辜負了我娘的一片苦心！』

阿德用力的點頭。

『可是，阿德，』高寒心有餘悸的說：『今天差一點被羅至剛逮個正著，不知道雪珂回去，會面對怎樣的局面？那羅至剛會刻意跟蹤雪珂，顯然已經懷疑了雪珂。不瞞你說，阿德，我覺得那羅至剛變化多端，陰沉難測……想到我的妻子，我的女兒，都在他的手裡，我眞是不寒而慄呀！』

『少爺！』阿德捲了捲袖子。『我們僱一輛馬車，四匹快馬，埋伏在普寧寺，等他們再上香的時候，我們劫了人就走，如何？』

高寒對阿德深深搖頭。

『就憑你我兩個人？大庭廣衆之下劫人？小兄弟，你畢竟年輕！九年前一個月黑風高的晚上，我計畫周全的出奔，仍然被捉了回來！雪珂說得對，這種錯誤，一生犯了一次就夠了，決不能犯第二次！』

高寒仰首看天，天上，彩霞滿天，半輪落日。高寒俯首看地，地上落葉片片，一堆荒塚。娘啊！他心中輾轉呼號，如果您當初不進頤王府，整個故事都不會發生了！但是，他心中一凜：娘啊，即使爲了這段感情，付出了這麼多的代價，我對於認識雪珂，仍然終身不悔！

頤王府？他腦中飛快的閃過一個念頭，王爺，福晉，他們曾經怎樣殘酷的扼殺了一段感情，造成今日的局面！或者，或者……他心中翻騰洶湧著一句話：解鈴還是繫鈴人！解鈴還是繫鈴

人！解鈴還是繫鈴人！解鈴還是繫鈴人……

『阿德！』他精神一振。『明天一早，就備好馬車，我們去一趟北京，我要再訪頤親王府！』

阿德重重的點頭。

9

王爺和福晉，是三天以後，趕到承德的。

對他們兩位老人家來說，高寒帶來的故事，簡直不可思議，周嬤已逝，小雨點在羅家當丫頭，雪珂身陷水深火熱中，求救無門！而雪珂與亞蒙，居然又見了面，居然舊情復熾，居然堅持那個在大佛寺有『菩薩作證，天地爲鑑』的婚姻才是眞正的婚姻……荒唐！王爺乍聽之下的憤怒，卻被高寒一大篇激昂慷慨的言論給擊倒了：

『你責備我不該再去攪亂雪珂的生活！你可曾責備過你自己？就因爲你的固執，你的面子，你的門第觀念，你製造了人間最大的悲劇！你讓一對眞心相愛的人失去幸福，天天活在絕望中！

你讓一對母子硬生生被拆散，最後竟演變成一生一世也挽不回的遺憾！你還可以製造一對怨偶，從新婚之夜開始，整個婚姻就陷入地獄！最悲慘的是，一個和你有血緣關係的小女孩，差點送命在你手裡！僥倖逃過一劫，成長過程中，沒有父母的呵護，嘗盡世間冷暖，歷盡滄桑，最後卻陷身在親生母親的家裡當丫頭，母女相對竟不能相認，讓那個心碎的母親，眼睜睜看著那只有八歲大的女兒，受盡鞭笞折磨……你的一念之差，製造了這麼多這麼多的悲劇，製造了這麼巨大的傷痛，你於心何忍？事到如今，你還不想伸出你的援手，來挽救可能發生的，更大的悲劇？你還忍心責備我，不該去擾亂雪珂那悲慘的，根本不算是「生活」的「生活」！王爺，你於心何忍？雪珂，她畢竟是你的親生女兒，小雨點，畢竟是你的外孫女！你就預備讓她們痛苦一生一世，永劫不復嗎？』

王爺被擊倒了，他被徹徹底底的擊倒了。瞪視著高寒，他不相信的自問著，這個情有獨鍾，永不放棄的男人，這個談吐不凡，咄咄逼人的男人，就是自己下令充軍到新疆去採煤的人嗎？就是自己從雪珂身邊硬生生拆散的人嗎？老天！如果他所說的事句句屬實，雪珂和小雨點，現在豈不是正在人間最殘酷的煉獄裡煎著，烤著？

王爺還來不及從激動中甦醒，福晉早已淚流滿面，拉著王爺的胳膊，哭著說：

『我們快去承德吧！我們快去看看雪珂，還有那個小雨點兒吧！』

於是，王爺、福晉和高寒兼程趕來了承德。一路上，三人第一次這樣推心置腹，消除成見的談話，他們把可能面對的局面，需要保密的事情，希望達到的目的……全都一一分析過了。王爺也對高寒坦白的說了幾句話：

『正如你所說，我已經不是王爺了！羅家對我，早就沒有絲毫的忌諱了。我現在去羅家，主要是觀察一下雪珂和小雨點的處境。到底我能救她們到什麼程度，說實話，我自己都沒有把握！』

『反正，我會在寒玉樓，等你們的消息！』高寒誠摯的說：『最起碼，你們是我和雪珂之間，唯一的一條線了！』

高寒去北京的三天中，至剛並沒有閒著。他已經約略打聽出寒玉樓的底細。高寒，來自江南，是某鉅商的獨生兒子，專做古董玉器的買賣，第一次來承德，主要是想搜購王族遺物，最後竟開設了這家『寒玉樓』，店面開張，才不過一個月！至於高寒和亞蒙間的關係，羅至剛就是有通天本領，也無法查出，何況，他連想都沒往這條路上去想過。他打聽出來的這一切，使他在納悶之餘，又有種如釋重負的感覺。總不能因為寒玉樓的主人儀表不凡，就給雪珂亂扣帽子！這麼說來，買雞血石很可能是眞話，如果冤枉了雪珂，豈不是弄巧成拙！

但是，羅至剛不知道問題出在那裡，就覺得心裡充滿了疑慮，對這個高寒，充滿了敵意與戒心。寒玉樓！寒玉樓，寒玉樓……這『寒』『玉』兩個字，就讓人心裡起疙瘩！高寒名字裡有個『寒』字，偏偏雪珂名字裡暗嵌了一個『玉』！這種招牌，就犯了羅至剛的大忌，總有一天，要摘下這塊招牌。

王爺和福晉抵達羅家的那一刻，至剛正忙著和承德市的官員吃飯，打聽這寒玉樓的開張手續，是否齊全，因而，他不在家。那已經是晚餐時間了，老閔一路通報著喊進大院裡面去：

『老太太，少奶奶，王爺和福晉來了！』

羅老太實在太意外了，這王爺和福晉，幾年都沒來過承德，怎麼今天突然來了？等到羅老太迎到大廳，就更加意外了，原來王爺的親信李標、趙飛等四個好手，也都隨行而來。王爺還是維持著王府的規矩，出一次門，依然勞師動衆。

『哎喲！眞是意外，你們要來，怎不預先捎個信兒，也讓我準備準備！』老太太一面嚷著，一面回頭大聲吩咐：『老閔，趕快給李標、趙飛他們準備房間和酒菜，馮媽！馮媽，通知廚房，做幾個好菜，王爺愛吃烤鴨，去烤一隻來！香菱、藍兒、綠漪……去把客房佈置起來……』

『好了好了，親家母，』王爺一疊連聲的說：『不要客套了，自家人嘛，隨便住幾天就回去的！咱們因爲許久不曾收到雪珂的信，著實有點想念她，所以，臨時起意，說來就來了！』

正說著，雪珂和翡翠已飛奔而來。雪珂一見王爺與福晉，像在黑暗中看到了一線光明，眼眶立刻就濕潤了。礙於老太太在場，強忍著即將奪眶而出的淚，她顫抖的握住了福晉的手，悲喜交加的喊著：

『爹！娘！你們怎麼來了？』

王爺很快的看了雪珂一眼，如此消瘦，如此憔悴，下巴尖尖的，面龐瘦瘦的，臉色白白的，身子搖搖晃晃的，那含淚欲訴的眼神，幾乎是淒楚而狂亂的。王爺只掃了一眼，心中已因憐惜而絞痛起來。至於福晉，淚水已迅速的衝進了眼眶，緊摟著雪珂，她無法壓抑的痛喊了一聲：

『雪珂啊！娘想死妳了！』

『娘！』雪珂喉中哽著，聲音嗚咽著，心中澎湃洶湧著，有多少事，有多少話想和福晉說呀！眞沒料到，爹娘會在此時來訪，難道父母兒女間，竟有靈犀一點！父母已體會出她的走投無路和悲慘處境了嗎？『娘！』她再喊，哀切而狂熱的瞅著福晉：『你們來了，眞好，眞好！我也……

好想好想你們呀！』

老太太看著，眞是一肚子氣！這算什麼樣子？好像羅家虐待了這個媳婦似的！就算羅家虐待了她，這樣的媳婦，王爺還希望羅家把她當觀音供起來嗎？

『嗯哼！』老太太冷哼了一聲。『我說王爺啊，』她尖著嗓子。『你們應該常常來看望雪珂才是，免得我們羅家對她有照顧不周之處！你們常來，雪珂也有個地方訴訴委屈，是不是呀！』

『好說好說！』王爺急忙打著哈哈，強忍心中的一團怒氣，他四面張望：『怎麼不見至剛？』

『出門幹活呀！』老太太接口：『時代不同囉，不能像以前那樣靠祖宗過日子，家裡老的老，小的小，不老不小的也只會吃飯，這麼一大家子要養呀，總是辛苦得很！』

王爺不好再接口，幸而不久，就開起飯來。大家吃了一頓食不下嚥的飯，席中，都是老太太的話：少不了夾槍帶棒，數落著雪珂的不是，數落著生活的困難，偶爾，也不忘讚美嘉珊兩句，表示：這才是眞正的媳婦！又忙著給玉麟佈菜，表示：孫子也不是雪珂生的……好不容易，這餐飯總算結束了。好不容易，雪珂和翡翠，侍候著王爺福晉，住進客房。好不容易，等到香菱、馮媽、綠漪、藍兒……等一干丫環僕婦都已退去，不見蹤影。翡翠就把房門一關，又拴好窗戶，退到門邊說：

『王爺、福晉、格格！你們有話快說，我站在門邊把風！』

福晉一反手，就抓緊了雪珂，迫不及待的問：

『小雨點兒呢？怎麼沒見著什麼八歲大的小丫頭？』

『你們怎麼知道小雨點？』雪珂驚愕極了。

『聽著！』王爺低聲說：『亞蒙去北京找了我們，把所有的事，都告訴我們了！所以，關於周嬤，關於小雨點，關於你們……我們統統都知道了！』

原來如此！雪珂恍然大悟。就知道亞蒙會想辦法的，就知道他不會耽誤時間的！去北京找王爺，亞蒙不知費了多少口舌，才能說動守舊的王爺親自來承德！她凝視王爺，或者，情之所至，金石為開？

『爹，娘！』雪珂眼淚一掉，聲音激動。『你們……沒有生我的氣嗎？你們從北京來，是來支持我的嗎？』

王爺沉重的望著雪珂。

『雪珂啊，妳必須坦白告訴我，妳心裡究竟有什麼打算？』

雪珂對著父母，直挺挺的跪下了。

『爹，娘！請你們為我做主，這個婚姻，當初是你們給我套上去的，現在，請為我取下來吧！』

『怎麼取？怎麼取？』王爺紛亂的問。『已經做了八年羅家少奶奶，怎麼可能再恢復自由之身？』

『可以的！爹！』雪珂急切的說：『現在是民國了，許多婦女都在追求婚姻平等權！有結婚，也有離婚！我和至剛，一開始就錯了，我不該嫁他的！現在，爹，娘！你們幫我……我不能再和亞蒙「私奔」，我要名正言順的和他過日子，我只有一條路，和至剛分得清清楚楚，我要正式和他離婚！』

王爺沉吟不語，福晉忍不住喊出聲：

『王爺，這是咱們唯一的女兒啊！』

王爺抬眼看雪珂，悲哀的說：

『妳這些道理，妳這些要求，亞蒙已經都對我說了！你們眞讓我好為難呀！這「離婚」二字，對我來說太陌生了！在我的觀念裡，根本沒有離婚這回事！現在，妳讓我怎麼開得出口，去向羅家提離婚？那羅至剛雖然兇了一點，跋扈一點，但，並沒有虐待妳呀！』

『爹！你要想辦法！』雪珂眼神中，有絕望中最後的期望。『我現在顧不得是非對錯，顧不得傳統道德，我只知道，當我和亞蒙重逢的時候，連我自己都不相信，經過那樣漫長的歲月，在完全被時空阻絕，生死都兩茫茫的情況下，結果一見面，感覺竟是那麼強烈！原以爲自己早就死了心，可是我對亞蒙的心是不死的呀！這份愛和我的生命原來是並存的！九年來，朝夕期望，就是期望有再見面的一天！如今眞的相見了，這個震撼，震出了九年來的魂牽夢縈，刻骨思念，也震出了我埋在心底所有的感情！』雪珂一口氣訴說著，淚珠已沿頰滴滴滾落。『特別是，發現小雨點這個祕密，驟然間，我的丈夫、我的女兒都在我的身邊，我不能認，卻要認至剛爲我的丈夫，認小雨點爲丫頭，這多麼殘忍呀！爹，娘，爲我的處境想想看，爲我的心情想想看吧！』

『孩子，』王爺終於逼出了淚。『我懂了！妳的心意是如此堅決，這一番肺腑之言，句句辛酸，道盡了妳這九年來，爲情痴苦的心境，我不得不承認，妳感動了我！好吧！讓我試試看，能不能把妳從這個婚姻的桎梏裡解救出來！我們會盡力而爲的！現在，妳能不能趕快把那個小雨點兒，帶給我們看一看呢！』

『對呀！』福晉拭去淚水。『我們簡直等不及的要見她呀！』她伸手，扶起了雪珂。

雪珂回頭喊：

『翡翠！』

『是！』翡翠瞭解的，打開門，四望無人，匆匆去了。

『等會兒小雨點來了……』雪珂遲疑的說。

『我們知道！』福晉急急接口：『我們不會露出破綻的！這中間的利害，我們比妳還清楚！』

這樣，小雨點終於來到王爺和福晉面前了，見到了她這一生中，第一次見到的外公外婆。她必恭必敬，小心翼翼的，怯生生的請了一個安。

『王爺萬福！福晉萬福！』

王爺和福晉都呆住了，目不轉睛的看著小雨點，兩人都震動得無以復加。這眉，這眼，這鼻子，這小嘴，這神韻……根本就是童年的雪珂呀！如果這孩子是送到王府來當丫頭，大概早就眞相大白了。

雪珂一見父母的表情，心中已經瞭然，不禁又紅了眼眶。

小雨點困惑極了，見王爺福晉都不說話，少奶奶也痴痴不語，大家的眼光都集中在自己身上，她有些害怕了。相了想，頓時醒悟，慌忙跪下去，不住的磕頭：

『小雨點兒忘了規矩，請王爺福晉不要生氣！小雨點給王爺福晉磕頭！』

這一磕頭不打緊，磕得福晉滿臉的淚。一句話也說不出來，她走上前去，拉起那小小的身子，就緊摟於懷。

『小雨點啊，妳受委屈了！』她低低喃喃的說。

『福晉！』翡翠過來，請了個安，提醒的說：『小雨點還要去幹活兒，不能多耽擱了！』

福晉萬分不捨的放開小雨點。

『幹活兒？』她驚愕的問：『這麼晚了，還幹活兒嗎？』

『馮媽給了她一排十幾個桐油燈罩，』翡翠說：『限定明天早上以前要擦完……』

『那……怎麼行？』雪珂一急。

『格格放心！』翡翠說：『我這就幫她去擦！』

翡翠拉著小雨點，急急的去了。

房門一闔上，王爺就鄭重的看著雪珂：

『什麼都不用說了，我們會儘快提出離婚的要求，解救妳和小雨點兒！』

至剛喝得醉醺醺的回家了。

『什麼？王爺和福晉來了？』他腳步不穩的，直闖入客房。『眞是稀客呀！』他大呼小叫的說：

『爹娘怎麼心血來潮，到承德來了？』他瞪了雪珂一眼，見雪珂雙目紅腫，氣已不打一處來。『怎麼，』他尖聲問：『才見到妳爹娘，就來不及的哭訴了？哭些什麼，訴些什麼，趕快說來給我聽聽！』

王爺怒瞪了至剛一眼。

『看來，你今晚已經喝醉了！明天，我要和你好好的談一談！』

『不醉不醉！』至剛囂張的叫嚷著：『我隨時可以跟你們談一談！看樣子，』他的眼光，滿房間一掃。『你們已經開過家庭會議了！怎樣呢？難道你們對我這個女婿還有什麼不滿意嗎？』他一伸手，把手搭在王爺肩上。『雪珂告了我什麼狀？不許她出門是嗎？您一定明白，良家婦女是不隨便出門的！雪珂就是因爲您當初太過縱容，才差一點身敗名裂，幸好你們遇到我，能忍的忍，不能忍的也忍，才保全了她的名聲……』

王爺越聽越怒，臉上早已青一陣白一陣，甩開了至剛的手，他怒聲說：

『你這是什麼態度？』

『什麼態度？』至剛臉色一沉，收起了嘻皮笑臉，爆發的大吼：『我的態度還不夠好嗎？八年來，我忍受的恥辱，是你王爺受過的嗎？忍過的嗎？從八年前新婚之夜開始，我已經把你們看扁了！什麼王爺福晉，什麼岳父岳母……呸！都是騙子！我喊你們一聲爹娘，那是抬舉你們！你們居然還在這兒不清不楚，自以為有什麼份量，想要教訓我，簡直是敬酒不吃吃罰酒！』

雪珂受不了了，她對至剛哀懇的喊著：

『夠了！夠了！是我對不起你，請不要羞辱我的父母……』

王爺已經氣得渾身顫抖，不住喘著氣。

『好！什麼難聽的話，都讓你說盡了！』王爺咬牙切齒的說：『我們也不必把話壓到明天再說，現在就說了，既然你輕視雪珂到這種地步，大家不如離婚算了！』

『對！』福晉憤慨的接口。『既然決裂到這個地步，我們實在看不出，這個婚姻還有什麼意義，我們要為雪珂做主離婚！』

『哈！離婚！』羅老太不知何時已站在門口，此時，忍不住大聲說：『好新鮮的名詞！原來王爺福晉難得登門，竟是為了談離婚而來！我不懂什麼叫離婚，想必就是一拍兩散，以後各過各的日子，互不相涉吧！好極了！我們還求之不得呢！至剛，這種痛苦的日子正好做個結束，現在雙方家長都齊了，就「離婚」吧！』

至剛一下子呆住了。他看看王爺福晉，看看羅老太，再看雪珂。

『雪珂，』他冷冰冰的說：『妳的意思呢？』

『求你……』雪珂顫聲說：『離了吧！對你對我，不都是一種解脫嗎？』

至剛死死的盯著雪珂，一言不發。

『好了！』羅老太威嚴的說：『結婚要三媒六聘，離婚要什麼我們不知道……』

『什麼都不要了！』王爺冷然說：『彼此寫個互不相涉的字據就可以了！寫完，我就帶雪珂走！』

『好極了！』羅老太更加積極：『香菱，去拿紙筆！』

『是！』香菱應著。

『慢著！』羅至剛忽然大聲說，眼光陰沉沉的掃視衆人，一個字一個字的吐了出來：『我不離！』

大家全體怔住，呆看著至剛。

至剛一臉的堅決，再掃了衆人一眼。

『是你們的錯誤，把我和雪珂這一對冤家，鎖在一起！既然已經被你們鎖住，我就要跟她鎖一輩子，有冤報冤，有仇報仇，這筆帳，我和她要一天一天，一月一月，一年一年的算下去！』

他走到雪珂面前，捏住了她的下巴，咬牙說：『三天前，妳在給我買雞血石，三天後，妳要離婚，我眞希望能挖出妳的心來，看看是什麼顏色！』

說完，他把她用力摔開，掉頭而去。

滿屋子人仍然呆怔著。雪珂面如死灰，滿眼的絕望。

10

至剛瑟縮在嘉珊的房裡，把自己整個蜷縮在一張躺椅中，像是負傷的野獸般蟄伏著，動也不動。他不說話，不睡覺，不吃東西。眼睛大大的睜著，看著曙色漸漸的，漸漸的染白了窗紙。

嘉珊嫁到羅家來已經六年了，六年中，她看得多，聽得多，想得多，只有說得少。對至剛，她有種深深沉沉的愛，這是她生命裡唯一的男人，是她兒子的父親，是她終身不變的倚賴。她是舊式社會中，保有一切傳統美德的那種女子。她尊重老太太，尊重雪珂，尊重至剛……連家裡的管家馮媽、老閔……，她都有一份尊重。如此尊重每一個人，她幾乎是謙卑的，謙卑得往往不受注意。但是，嘉珊並不愚昧，她內心，纖細如髮，溫柔如絲。六年來，她已經看得太多，懂得太多。

一場離婚鬧得驚天動地，丫環僕婦都在竊竊私語。嘉珊雖不在現場，香菱已經把前後經過都說了。嘉珊注視著至剛，看他那樣一個大男人，竟把自己蜷縮在躺椅中，用手無助的扯著頭髮。她幾乎看到了他的內心，那顆負傷沉重的心，流著血，上面全是傷口。最悲哀的是，他不知道該如何去縫合自己的傷口。因爲他那麼忙於遮掩自己的傷，忙於張牙舞爪的喊：

『我沒有受傷！我太堅強了！沒有人能打得倒我，只有我去打擊別人……』

看到他這種樣子，嘉珊實在充滿了憐惜之情。

天色已經亮了，一夜無眠折騰得至剛形容憔悴。嘉珊捧來一碗熱騰騰的豆漿，又拿來一盤包子。

『願不願意吃點東西？』

至剛怒瞪了嘉珊一眼，一伸手，想把小几上的碗碗盤盤掃到地上去，嘉珊機警的攔住，雙手接住了他揮舞的那隻手，沉聲說：

『遷怒到那些盤子杯子上去，是沒什麼道理的！』

『妳少管我！』他陰鷙的低吼著。

嘉珊凝視至剛，再也忍不住，她仆過去，半跪在他面前，緊握他的雙手，她懇切而眞摯的說：

『你這麼深切的愛她，爲什麼不告訴她？』

至剛像挨了重重一棒，整個身子都從椅子裡彈了出來。他臉色慘白，眼神狂亂，激動得無以復加，他搖著嘉珊，爆炸似的吼著叫著：

『我怎麼會愛她？我恨她！恨死了她！我從沒有愛過她！只有恨，恨，恨，恨，恨……恨不得捏碎她，殺了她，毀了她……』

『哦，不是的！』嘉珊熱烈的喊：『你恨的並不是她，而是你征服不了她！你對她充滿了嫉妒，充滿了懷疑，你花很多時間觀察她，刺探她……那實在因爲你心底，太在乎她，太要她的緣故！我不知道你們的婚姻，怎麼會弄到今天的地步？我卻看到你一直在做相反的事！明明深刻的愛著她，卻總是在傷害她……』

『沒有，沒有，沒有……』至剛淒厲的嚷著：『我不愛她，我絕對不愛她！我怎會愛一個心裡根本沒有我的女人！不可能的！妳說這種話，對我是個侮辱……』

她又去抓回了他在空中揮舞的雙手，熱切的盯著他。

『不！不！你愛她！你拚命壓抑，越壓抑就變得越強烈！你最大的痛苦是她不愛你！但是，你用暴力，你用兇狠，你用無數比刀還銳利的言辭，不斷不斷的去傷她，把她傷害得遍體鱗傷，於是，她排斥你、怕你、躲你……她越躲越遠，你就越來越生氣。一生氣，你就喪失理智，想盡辦法去折磨她，事實上，你在傷害她的同時，你更深的傷害了自己！當她遍體鱗傷的時候，你自己也遍體鱗傷……這是不對的！至剛，至剛！如果你愛雪珂，要讓她知道，要讓她能體會，你需要付出的，是包容，寵愛，憐惜和體貼！只有用這種方式，你才能得到一個女人的心！』

至剛聽得膽戰心驚，會嗎？是嗎？自己早已不知不覺的愛上了雪珂，所以才變得這般暴躁易怒？這般痛苦？這般無助？這般提不起又放不下？是啊，雪珂，她牽引著他內心深處，每一根神經，忽悲忽怒，嫉妒如狂！是啊，雪珂！她不知何時開始，已攻佔了他整個心靈的堡壘。

他痛楚的埋進躺椅裡，痛楚的用手抱住頭。

『嘉珊，爲什麼要告訴我這些？難道妳不吃醋，難道妳不想獨佔我的感情？』

『我想的！』她坦白的說：『但是，我一嫁進來就知道是二房，我不想去侵犯別人的地盤。再說，我是那麼愛你，你的健康和快樂，對我比什麼都重要！我不要一個遍體鱗傷的丈夫！』

至剛震動了，抬起眼睛，他不禁注視起嘉珊來。嘉珊的眼光，眞摯溫柔，盈盈如水。他心中一動，嘉珊，她實在是很美麗的！

這天早上，王爺、福晉和羅老太也作了一番懇談。自從離婚之議一起，羅老太忽然像是撥開了濃霧，見到了陽光一般，發現雪珂和至剛這個死結，實在可以輕易打開的。現在已經是民國了，大學生天天遊行，舉著牌子要求男女平等，結了婚也可以離婚，九年前顧慮的一切問題，早已隨著時間淡化了。於是，離婚，這兩個字就深刻在羅老太的心中了，只要離了婚，就再也不需要面對雪珂的恥辱，和至剛的劍拔弩張了！雖然對羅家來說，還是吃虧的，但，總比有個成天吵吵鬧鬧的家庭來得好。

於是，王爺、福晉和羅老太把至剛找進房裡，第二度和他談『離婚』。

王爺已經平靜了，他沉重的看著至剛，幾乎是帶著歉意的說：

『至剛，此時此刻，我願意拋開我的自尊和身分，僅僅站在一個父親的立場來對你說話！當年，我以欺瞞的方式讓雪珂嫁給你，對你造成無可彌補的傷害，致使你怨恨至今，心裡對我沒有絲毫尊敬，這都是我咎由自取，我的確沒有資格來教訓你什麼，我希望你瞭解的是，昨天之所以提出離婚，完全與情緒無關，那不是一時氣話，而是正視到這個婚姻，已經到了無可挽救的地步！』

至剛靜靜的聽著，一語不發。

『眞的，』福晉接了口。『我們也不樂見你們分手，可是，雪珂眞的很痛苦。我看嘉珊賢慧美麗，你們又有了玉麟，何不放了雪珂，扶正嘉珊，不是皆大歡喜嗎？』

『至剛，你心裡有什麼話，你就說出來吧！我的意思，這次和王爺福晉，倒是不謀而合！』羅老太盯住了至剛。『你和雪珂，吵吵鬧鬧了八年，經常弄得全家雞犬不甯，也實在該做個結束了！你不要再固執了，今天咱們三位老人家，同心合力，目標一致。他們要挽救女兒，我要挽救兒子！你就體會我們的心，答應離婚吧！』

至剛抬起頭來了，臉色蒼白而憔悴，眼睛裡，盛滿了一種深刻的悲痛。他看看王爺，看看福晉，看看羅老太。他的眼光在三人間逡巡，最後停在王爺的臉上。他嘶了口氣，終於低沉的，眞摯的開了口：

『我懇求你們三位老人家，求你們別再逼我離婚，我……我爲我昨天的言行道歉，也爲我過去多年來，種種惡劣的態度道歉，我知道沒法要你們馬上相信我，但最少，你們可以給我一個機會……』

羅老太忍不住霍然站起：

『你在說些什麼？你這是什麼意思？』

『我不要離婚！』至剛定定的說：『不是耍狠，也不是報復，而是因爲……我不能失去雪珂，我愛她！』

此語一出，三位老人家全體變色，驚愕得目瞪口呆。

『你……』羅老太緊盯著至剛，完全不相信的問：『你什麼？你說什麼？』

至剛直視著母親，一個字一個字的回答：

『我愛雪珂！』

羅老太跌進椅子裡，半晌都不能動彈。然後，實在不能承受，她猛拍了一下椅子的扶手，大怒的說：

『胡說！不可能的！你爲什麼要揑造這樣的謊言？爲什麼？』

『我不管你們相不相信！』至剛激動的輪流看著三人。『我只能說，我是鼓足了勇氣，才在你們面前說出我心底的祕密。這對我並不是一件容易的事，不要告訴我說你們不能理解！是你們主宰了我和雪珂的命運，我們被動的結合，又被迫一起生活，然後最悲哀的是，我竟然愛上了她！今天，我逼不得已，坦白道出我的心事！在你們爲著各自立場，對我軟硬兼施的時候，或者現在該停一停，正視一下我的悲哀，對我公平一點吧！』

至剛說到最後，眼中已浮現淚光，他咬咬牙，迅速起身，就奪門而去了。

室內的王爺、福晉、羅老太都深受震撼，面面相覷，誰都說不出話來。

這是雪珂想都想不到的情況。

她不能置信的看著王爺和福晉，近乎神經質的抓著福晉的手，搖著她，悲切的看著她。

『他愛我？他怎麼可能愛我呢？對這個還沒過門，就已經對他不忠實的妻子，他恨我都來不及，怎麼可能愛呢？這八年來，如果他對我有愛，我怎會感覺不到？爹、娘！你們不要被他騙了，不要被他說服了！這一定是個詭計，是個手段……他不願放過我，他昨晚就說了，他要一天又一天，一月又一月，一年又一年的和我算帳，他要慢慢的折騰我，把我一點一滴的侵蝕殆盡！我告訴你們，這些年來，我就是這樣過的！我不是一個妻子，我只是一個囚犯！他閒來無事，就折磨我，諷刺我。看我受苦，是他的一大樂事！他說他不能失去我，只是不能失去一個羞辱的對象而已！爹，娘，你們要救我！你們眞的要救我呀！』

『雪珂，妳冷靜一點！』福晉握住雪珂，深深看著她，十分困惑的說：『說不定，是妳誤會了他，因爲打從一開始，妳心裡就另有其人，妳從沒有給過至剛愛妳的機會，是不是？』

『娘！』雪珂凄然的喊：『妳已經動搖了！他的一篇話，簡簡單單的三個字，他愛我！你們就投降了！你們怎麼不看看我！看看我被他愛得多麼悲慘，多麼絕望！』

『孩子啊！』福晉急急的說：『我們並不是投降，而是被他感動呀！他是那樣飛揚跋扈的一個人，談到對妳的感情，卻說得那麼誠懇眞切！我們也活了大半輩子了，眞話、假話，我們不至於混淆不清！雪珂，我覺得，妳實在應冷靜下來，和他面對面，心對心的再談一談！把所有心裡的結，都試著去解一解！說不定就都解開了！』

『對！』王爺深有同感的點著頭。『妳娘說得是！』

雪珂的心，像掉進一個冰洞裡，就這樣冰冷冰冷的墜了下去。她含著淚，看看王爺，又看看福晉，越來越明白，父母是眞的被至剛收服了！畢竟，至剛是他們選擇的女婿，而亞蒙，是她『私訂終身』的！她絕望的一摔頭，凄涼的說：

『你們不預備救我了！你們要眼睜睜看著我毀滅……』

『不會的！』王爺說：『妳喜歡用強烈的措辭！毀滅一個人不是那麼容易的……』

『容易！容易！』雪珂拚命點頭。『毀滅我是很容易的！搶走我所愛的，再給我不斷的壓力，我就會像雞蛋殼一樣碎掉的……』

『可是，妳不是雞蛋殼呀！』福晉快被雪珂攪昏了。

『我已經被折磨得比蛋殼還脆弱了！』雪珂痛楚的望向王爺。『爹，你不是說，不管是非對錯，你已經被我感動，要幫我解開這個婚姻枷鎖的嗎？』

『雪珂呀，』王爺迷惑的說：『我想我是老了！亞蒙到北京，一篇話說得我感動極了。我來到承德，妳的一篇話又讓我感動萬分。可是，剛才，聽了至剛的一篇話，我竟然又被至剛感動了！我這樣爲你們三個而感動，連我自己都糊塗了！我想，當年那個當機立斷、堅定不移的頤親王爺早已消失，如今的我，確實有顆易感的心！我實在……沒辦法把至剛看成一個罪大惡極的人呀，我看到的他，就和妳一樣，也像雞蛋殼似的，那麼脆弱呀！』

雪珂楞楞的看著王爺，實在無言以對了。

羅至剛這一招，讓雪珂完全失去招架的能力，甚至，失去應付的能力。她方寸大亂，感到自己又被逼進了一個死胡同，進退不得。晚餐時，馮媽第一次命令小雨點端盤端碗，侍候茶水。小雨點戰戰兢兢，生怕砸了碗碟，小心翼翼的給每個人添飯送茶。雪珂的眼光跟著她小小的身子轉，看到她顫巍巍的捧著熱騰騰的茶，她的心就跟著顫巍巍熱騰騰，簡直沒有辦法集中意志去吃飯。

王爺福晉也食不下嚥，看看雪珂，看看小雨點，兩位老人家心如刀絞。

『小雨點！』羅至剛忽然喊了一聲。

『是……是……少……少爺！』小雨點一驚，手中捧著的一碗燕窩粥竟歪了歪，雖沒整個潑出來，一部份已流到手指上去。小雨點燙得唏哩呼嚕，握緊碗沿的手就是不敢鬆。雪珂心中一痛，跳起身子，還來不及做什麼，至剛已搶先一步，去接住了小雨點的碗。

『翡翠！翡翠！』至剛忙不迭的喊：『妳快帶小雨點去上點藥，這燕窩粥挺燙的！』他注視小雨點，眼光非常溫和。『我叫妳，讓妳嚇了一跳嗎？』

『是……是……是……少……少……少爺！』小雨點牙齒打著戰，好不容易才把話說完。

『其實，我是要妳下去，做點容易的工作！』羅至剛嘆口氣，連個小丫頭聽到他的聲音，都嚇得發抖。難怪雪珂對他敬而遠之。『這馮媽也太過分了，這麼小的丫頭，怎麼能侍候飯桌呢？我們有翡翠綠漪藍兒香菱還不夠嗎？』

『馮媽也是好意！』羅老太凜然的說：『不從小訓練起，將來永遠上不了檯面！』

『好了！好了！』至剛溫柔的說：『翡翠，帶她下去吧！我說，以後乾脆把她撥到雪珂房裡，專門服侍雪珂就好了！我看，她和雪珂挺投緣的！』

雪珂的心怦然一跳，她很快的掃了至剛一眼，心中七上八下，不安已極。他知道了嗎？他懷疑了嗎？是不是自己露了行藏？是不是他已打聽出什麼？但，至剛的臉色那樣平和，一點火氣都沒有，當她的眼光和他的接觸的一剎那，她覺得，他眼中竟閃過一絲光彩，那眼光幾乎是謙卑的。

雪珂眞是心如亂麻，完全失去了主意。

飯後，至剛來到雪珂房裡，摒退了所有的人，他凝視著她，非常溫和的開了口。

『我們必須談一談！』

『是的！』雪珂深吸了一口長氣，要勇敢！她告訴自己，父母已經不能倚賴。現在，只有靠自己來奮鬥，她決心要面對至剛，談個透徹。

『關於離婚，』至剛先說出主題。『這種新潮的名詞，這麼時髦的作風，實在不是我們這種大家門第應該效法的！對不對？我們之間，不管開始得多麼惡劣，好歹做了八年夫妻！八年間，妳並沒有提離婚，現在來提，多少受了新思潮的影響！我不知道妳和新思潮有些什麼接觸！我猜，和寒玉樓，和高寒……是根本沒有關係的，對不對？』

她震動的看著他，覺得這談話還沒開始，就已經被他佔了上風。寒玉樓、高寒！他到底知道了多少？他在講和？還是在威脅她？

『我很抱歉。』他面色一正，誠心誠意的說：『我不該對妳疑神疑鬼，不該跟蹤妳，不該限制妳的行動，更不該對妳粗聲粗氣……現在，讓我們忘掉所有的不愉快，重新開始吧！』

『爲什麼？』她困惑的看他。『你爲什麼不乘此機會，擺脫了我？這婚姻是我們共同的不幸，八年來，你對我吼吼叫叫，多少紛爭、吵鬧、痛苦、悲哀……我們的婚姻裡，實在沒有絲毫美好的回憶，你要這個婚姻做什麼？我不瞭解你，眞的不瞭解你！』

至剛輕輕一嘆。

『如果我說，是因爲我面臨到要失去的時候，才發現我多麼珍惜！如果我說，是因爲我愛……』

『別說你愛我！』雪珂激動的喊出聲。『你可以在你母親和我父母面前演戲，但是，請不要在我面前演戲！在我忍受了這麼多年的痛苦以後，你忽然說你愛我，這實在太荒謬了，你怎麼說得出口？』

至剛的容忍，已經到了邊緣，如此低聲下氣，這個女人卻全不領情！他一個箭步上前，抓住了雪珂的肩膀，用力的搖著：

『聽著！』他更加激動的吼出聲。『我希望我不要愛妳，我希望我恨妳，我更希望我不在乎妳，那麼，我不管怎麼做，都會做得很漂亮，決不會像現在這樣窩囊！但是，我就是這麼倒楣！我就是這麼不幸！離婚！一旦談到離婚，我才發現妳早已是我生命的一部份，我根本割捨不掉！妳信也好，妳不信也好，我就是愛妳！』

『愛？愛？愛？』雪珂悲憤的接口：『你怎麼能輕易吐出這個字？你從那一天開始愛上我的？怎麼我一點都不知道？』

那一天？至剛一楞。那一天？他呆怔了片刻，驀的抬起頭來，雙目炯炯的注視著她。

『妳相信嗎？』他收起激動的語氣，變得痛楚起來。『新婚那天，家裡大事鋪張，驚天動地的把妳娶進門，我全心全意要迎接我的新娘，那麼喜悅，那麼興沖沖的，而妳，卻告訴我妳心中另有其人，妳那麼大無畏的坦白了一切，妳那麼視死如歸的想保有妳的貞潔，妳甚至毅然斷指，做了任何女人不可能做到的事……讓我告訴妳，當時，我就為妳發瘋了，我瘋狂的嫉妒和羨慕，我眞恨不得就是妳心裡那個人！』他點點頭。『妳問我哪一天愛上了妳？現在回憶起來，似乎是那第一個晚上，妳就把我給折服了！』

雪珂呆呆的看著他。在他眼中，看到了隱隱的淚光。她忽然就心中一緊，開始覺得，他所說的，可能句句出自肺腑，可能都是眞的了。

『對不起！』她喉中梗梗的說：『這婚姻，從頭開始，就是我錯！我對不起你，讓你受了這麼深的傷害……我眞希望，如果今生不能報答你，來生……』

『讓我們停止說對不起吧！』他忽然熱烈的握住她的手，眞情流露的喊著：『也別說什麼來生的話，因爲我們的今生，還有漫長的一輩子！雪珂，過去的對與錯，是與非，我願意一筆勾消！我們重新開始。如果妳對我已失去信心，那麼，再給我半年時間，考驗我！如果半年以後，妳還是認爲我不好，這婚姻不好，那時，我們再離婚！』

她瞪著他。

『八年都過去了！』他急迫的說：『妳還在乎多等半年嗎？讓我告訴妳，我一定停止嫉妒，不算舊帳！我一定改頭換面……爲妳重新活過！我要敞開心胸來愛妳，不止愛妳，還要愛屋及烏，妳最親近的翡翠，妳最喜愛的小雨點兒，我都會另眼相待，還有妳的父母，我也會眞誠的尊敬他們！雪珂，相信我！』他看進她眼睛深處去。『好奇怪，一個丈夫在對他娶了八年的妻子傾訴愛慕……好奇怪！也好悲哀！』

她的眼眶濕了，他的臉在一片淚霧中浮動。

『妳哭了！』他震動的，啞聲的嚷著：『這證明，妳還是會被我打動，這證明，妳對我還是有一絲絲柔情的！請妳爲我，留住這一絲柔情吧！』

雪珂一句話也說不出來了。

11

高寒在寒玉樓中，足不出戶，整整等了十天。這十天，眞比十年還要漫長，每個時辰，都是辛辛苦苦挨過去的。終於，這天，王爺和福晉雙雙來玩。但是，他們帶來的消息，卻足以粉碎他所有希望，冰凍起他那顆狂熱的心。他呆呆的注視著王爺和福晉，這才瞭解到，他和雪珂間，賴以支撐的線是這麼單薄而易斷的！

『聽我說！』王爺深刻的看著高寒：『不管九年前是怎麼一回事，以現在的局面而論，雪珂和至剛，總是一對名正言順的夫妻，而你卻是個局外人！如果他們的婚姻，確實已悲慘到不可救藥的地步，我會支持你去重新爭取雪珂，但是，現在的情勢並非如此。至剛有意修好，表現得非常誠懇，我實在深受感動！所以，如果你不在這兒誘惑雪珂，我猜想，他們的婚姻會圓滿而幸福的！』

『雪珂怎麼說？』高寒低沈的問。

『她要我們轉告你，』福晉嘆了口氣。『過去的已經過去了！如果你眞的忘記不了她，就請你把這一片心，都用到小雨點身上去！』

高寒的臉頰抽搐了一下。

『怎樣用到小雨點身上去？她和雪珂一樣，都被拘囚在羅家那個大監牢裡！』

『我們已經研究出一個辦法來了！』王爺振作精神，有力的說：『至剛志在雪珂，羅家並沒有人在乎小雨點，對羅家這種家庭而言，多一個小丫頭，少一個小丫頭，根本沒什麼分別。所以，我們預備過兩天，就對羅老太開口，就說因爲和小雨點投緣，要了小雨點回北京。了不起，我再送個丫頭過來補充。雪珂會在旁邊打邊鼓，至剛要討好雪珂，不會在乎小雨點！這樣，我們救出小雨點，就交給你，你馬上帶著孩子，回福建去！』

高寒沉吟了好一會兒。

『這是你們和雪珂一起計畫的？』

『是！』

『這是給我的命令，我必須服從，是嗎？』

『不然你要怎樣？』王爺沉不住氣的一吼。

『我要小雨點，我也要雪珂！我們三個，根本是一個家庭，羅至剛才是那個局外人！是你，王爺，你把那個局外人變成局內人，硬把我打出局外！現在，過去種種都不提了，就以目前的局勢論，要雪珂一下子割捨掉我和小雨點……她會憔悴而死！你們如果眞正瞭解她，就會知道，不需要半年，只要半個月，就會要了她的命！』

『怎麼會？』王爺大聲說：『你和雪珂一樣，喜歡用強烈的字句，故意聳人聽聞！我們救出了小雨點，她知道你們父女已經團聚，生活在很安全的地方，她就心滿意足了！那時，她會安定下來，去做羅至剛的妻子……』

『她不是羅至剛的妻子！』高寒滿屋子繞著，像一隻困獸。『她是我的妻子！我不能讓她獨自一人留在承德，這太殘忍了！我們一家三口，已經浪費了八個年頭，人生很短，沒有幾個八年！我們沒有時間再浪費了！我們三個，一定要團圓，否則，就太沒天理了！』

『你要怎樣團圓？』王爺緊繃著臉孔。『你口口聲聲說一家三口，你要雪珂，也要你女兒，但你束手無策，根本不知道如何去要她們……』

『王爺！』高寒站定，眼中燃起兩簇火焰：『你如果肯幫忙，我們還是有辦法！』

『什麼辦法？』

『你帶來的四個親信，都有一流的武功，加上我這兒的阿德，我們……』

『你要劫人？』王爺大驚。『想都不要想，太荒唐了！亞蒙，用用你的腦筋，羅家在地方上，仍然是有頭有臉的人物啊！』

『並不是劫人，只是幫助我們逃走！』

王爺瞪著高寒。

『我不能幫你，』他沉聲說：『在發現雪珂的婚姻，仍然有希望的時刻，我決不能幫你！何況，這樣的忙，很可能越幫越忙，說不定玉石俱焚，兩敗俱傷！成功的希望實在不大，你怎能拿雪珂和小雨點兩人的生命來冒險？投鼠也該忌器呀！假若你眞愛雪珂，眞心爲她好的話，就該體會雪珂的一番心，不要繼續留下，和她糾纏不清，使她兩面爲難！你如果是個男子漢大丈夫，就該拔慧劍，斬情絲，顧全大局，帶了你的女兒，去追求另一番幸福！人生，本就不能事事盡如人意，魚與熊掌，不能得兼。如果你有幸找回了女兒，也算對得起你娘了，不是嗎？』

王爺這番話，句句合情合理，高寒走到窗前，看著窗外穹蒼，心中一片淒苦。

『亞蒙，』福晉嘆了口氣。『小雨點那孩子，長得楚楚動人，我見猶憐。假若你見到了她，你一定會愛極了她！但她現在在當丫頭，燒火洗衣端茶送水之外，還要擦燈罩，推石磨……一旦做錯事，就會被女管家嚴厲責罰，輕則罰跪，重則鞭打……雪珂已經心疼得憔悴不堪了！她要我帶一張紙條給你，你自己看吧！』

高寒倏然轉過身來，迎視著福晉的目光。他的心，因福晉的敍述而絞緊，絞緊，絞緊……絞得不知有多痛。他迅速的接過了雪珂的紙條——一個萬字結！打開紙條，他看到短短的兩行字：

『雪中之玉，或可耐寒。

小雨點兒，怎能成冰？』

他心中大大一抽，更痛。

『爲了你的女兒，犧牲了你的愛情吧！』福晉苦口婆心的說：『這樣，我們才能沒有後顧之憂的，全心全意來救出小雨點！事實上，救小雨點，會不會有波折，能不能順利，我們都還不知道呢！』

高寒無力的靠在窗檽上。救小雨點！是的，必須先救小雨點！或者，他心中閃過一個念頭：

等到孩子救出來了，再來想辦法救雪珂吧！

羅家這兩天表面很平靜，至剛在努力扮演好丈夫的角色，對每個人都和顏悅色。雪珂珍惜著和小雨點相處的每個片刻，常常對著小雨點，就悲從中來，不可自抑。但，在至剛面前，仍要裝得心平氣和。王爺、福晉夾在羅家與雪珂、小雨點之間，難免小心翼翼的，只怕露出行藏，壞了大事。因此，大家都力求相安無事。表面上看起來無比平和，實際上，是暗潮洶湧。

這裡面，只有羅老太一個人，是眞正冷靜的。她冷眼看著一家子人，各演各的戲，心裡困惑極了。馮媽不時來跟她報告一下大家的動態。每個人的行爲和表現，羅老太都還能夠理解，唯獨對於家中的小丫頭，引起雪珂和王爺的特別垂青，大惑不解。一會兒，翡翠送小雨點去雪珂房，一會兒雪珂送小雨點去王爺房……半夜三更，雪珂會夜探小雨點……據馮媽說，居然有一夜，雪珂在幫小雨點擦燈罩，一邊擦一邊掉眼淚。這雪珂，實在是古怪得厲害，說不定腦筋出了問題。但是，王爺和福晉呢？爲什麼也對小雨點憐惜備至？

羅老太隱藏著她心中的疑問，對小雨點，不禁多加了幾分觀察。這孩子明眸皓齒，唇不點而紅，眉不描而翠，雙目盈盈如秋水，皮膚白嫩細緻，簡直吹彈得破。這種孩子，竟來自農村，也是異數！羅老太思前想後，才覺得小雨點賣進羅府的經過，有點兒離奇。

就在這時候，王爺和福晉表示要回北京了。羅老太心中竊喜，本就不歡迎這門親家，早走一日就好一日！

『要回北京啊？』老太敷衍著。『怎麼不多住幾日？』

『家裡還有事呢！』王爺說：『現在，至剛和雪珂已經和好，我們也就不多耽誤了！』

『這臨走之前呢，』福晉忽然開口，聲音裡帶著點不尋常的緊張。『咱們有個不情之請！』

『哦？什麼事呢？』

『是關於那個名叫小雨點兒的小丫頭！』

羅老太的心頭一緊，注意力全體集中了。

『咱們瞧著非常喜歡，不知道能不能讓給咱們？』

羅老太實在太驚愕了。雖然說王爺已經不是王爺了，但是，王府裡總不會缺丫頭！何況，那小雨點年齡尚小，做什麼事都做不來。羅老太深深的注視著福晉，心裡的疑惑已經到達了頂點。

『這倒是新鮮啊！你們怎麼會要一個這麼小的丫頭，她能管什麼用呢？』羅老太不動聲色的問。

『咱們府裡並不缺丫頭，要這孩子，是因爲她乖巧伶俐，與咱們十分投緣！』王爺接口，接得也太快了一些。『當然，咱們也不想白要妳的人，不如這樣，回到北京，我挑一個能幹的丫頭，送來塡補，妳說怎樣？』

老太微微一笑，拿起紙捲燒水煙袋：

『我倒沒什麼意見，只怕雪珂不肯！』

『雪珂怎麼會不肯呢……』福晉一急，衝口而出。王爺急忙輕咳一聲，福晉立刻住了口。

『是嗎？』羅老太看看二人。『雪珂一直很喜歡這個丫頭，至剛最近千方百計討雪珂好，不是已經把小雨點派給雪珂了嗎？我看，這事還是問至剛吧！』

『那好，』王爺說：『那麼咱們就去問至剛！』

王爺和福晉站起身子，退出房間。

羅老太凝神沉思，從頭細想這小雨點來到羅家的前後始末。這一想，就給她想出了好多破綻。這一想，就想得她驚心動魄，冷汗涔涔了。

同一時間，雪珂正在臥房裡，萬分不捨的告訴小雨點，必須跟王爺福晉去北京的事實。誰知，小雨點的反應十分強烈，她連連退著步子，滿眼驚恐慌張。

『爲什麼我要跟王爺福晉走？爲什麼要把我送給他們呢？妳不喜歡我了？妳不要我了嗎？』

雪珂急忙上前，一把握住小雨點，拚命的搖頭。

『不是不是，我就是太喜歡妳，太疼愛妳了，所以不忍心看妳在這裡當丫頭呀！妳跟王爺和福晉走，他們會好好待妳，妳再也不用吃苦，不會受欺負，也不會挨打挨罵了！我不是不要妳，是要妳過更好的日子，妳懂嗎？』

『我不要過好日子，』小雨點急切搖頭，眼淚水已撲簌簌滾落。『我只要同妳在一起！求求妳，不要送我走！』

雪珂心痛得熱淚盈眶，把小雨點緊緊一抱。

『孩子啊！要妳走，我心裡比誰都捨不得呀！……』

『那就別叫我走！讓我留在妳身邊，再苦我都不要緊的！我喜歡妳！我喜歡妳呀！』

小雨點急切的嚷著，一轉身又去撲在翡翠懷裡。

『翡翠姐姐，妳也很疼我的呀！讓我跟著少奶奶，不要趕我走嘛……』

『小雨點啊，』翡翠哀聲說：『將來妳就會明瞭格格的一片心了！送妳走，是爲了愛妳呀！』

『不不不！』小雨點急壞了，又哭又嚷，一轉身，就傷心的往屋外奔，才拉開門，就一頭撞在羅老太身上。羅老太正挺立在那兒，滿面寒霜，不知道已經聽了多久。

雪珂和翡翠駭然變色。

小雨點竟抓著羅老太，沒頭沒腦的苦苦哀求：

『老太太！我不要走，求老太太做主，別把我給王爺福晉，我會乖，我會聽話，我會很努力的做個有用的丫頭，請別趕我走，好不好？好不好？』

羅老太臉色陰沉得像烏雲密佈的天空，然後，突然間，她一把重重的抓住了小雨點，抬頭死死的瞪著雪珂，咬牙切齒的問：

『她這麼依戀妳，妳又這麼寵愛她，爲什麼硬是要把她送給妳的父母呢！說！』她大吼一聲：

『爲什麼？』

雪珂驚跳起來，嚇得面無人色。

『因……因爲，爹……爹……娘……喜歡她……』

『沒有新鮮的辭可說嗎？』老太的眼中，像是要噴出火來。『你們在我眼前耍這樣的花樣！把我和至剛置於何地！』她一把揪起小雨點，搖著她，掐著她，瘋狂般的瞪著她：『妳這個來歷不明的丫頭！妳說！妳爹是誰？妳娘是誰？妳奶奶是誰？』

小雨點又痛又怕，不知所措。雪珂已撲過來，哭著想搶下小雨點。

『放開她，請不要對付她！她只是一個孩子，她什麼什麼都不知道呀……』

『那麼，妳什麼什麼都知道了？說！馬上說！這孩子是誰？從那兒來的？快說！』

『格格呀……』翡翠驚叫。

老太回手給了翡翠一耳光。

『丫頭站一邊去！不許插嘴！』老太又開始用力搖著小雨點：『妳不說，我幫妳說！小雨點，妳爹是個下等人，妳娘是個無恥的女子，他們偷偷的生下妳，把妳交給奶奶……妳是個不清不白的私生子！所以，妳跟著奶奶姓周，妳連自己的姓都沒有……』

『我有！我有！我有！』小雨點大哭起來，一邊哭，一邊痛喊出聲：『我爹姓顧，我娘是旗人，他們都是好人，我爹在新疆開礦……』

『妳娘呢？』

『她死了！』

『讓我告訴妳，妳娘沒有死，她欺名盜世，苟且偷生，搖身變作少奶奶，是個卑鄙下流，無恥已極的女人！』

老太說完，把小雨點用力一推，推到那早已面如死灰，目瞪口呆的雪珂身上去。用手怒指著她們，羅老太丟下了一句：

『好一副高貴的嘴臉！好一顆骯髒的心！』

轉過身子，她拂袖而去。

雪珂抱著小雨點，已是神魂俱碎，只感到天旋地轉，眼前有幾千幾百個小雨點，其他，什麼都沒有了。

『格格，咱們完了！』翡翠撲過來，搖了搖雪珂。『妳醒一醒，振作一下，少爺馬上會過來興師問罪了，我……這就去請王爺和福晉來！』

翡翠顧不得雪珂和小雨點，往外飛奔而去。

小雨點太激動了，她還在哭，哭得傷心極了，哭得上氣不接下氣的。

『少……奶奶！』她邊哭邊說：『老……太太，爲什麼要對我……說那些話？我到底……犯了什麼錯……她要罵我爹、我娘呢？』

雪珂心中一陣抽痛，神志清醒了。她看著滿臉淚痕的小雨點，簡直是心碎腸斷，再也無法掩飾任何祕密了。

『孩子啊!』她痛喊著:『妳的娘確實沒有死呀……』

『那……那……我娘在那兒?』

『孩子,我就是妳娘,妳親生的娘啊!』

小雨點一個震驚,連哭都忘了。她張大眼睛,瞪視著雪珂,急忙忙搖頭,慌張否認:

『不對不對,我娘早就死了,奶奶告訴我的……』

『我是妳娘!小雨點,相信我!』雪珂急促而心慌意亂的說:『現在沒時間和妳詳細解釋,妳奶奶把妳送進羅家,就是要交給我!她那麼愛妳,怎麼捨得把妳賣作丫頭?因爲我是娘,我沒有死,我眞的是妳的娘呀!』

『不!不對不對!』小雨點實在太驚慌了,如此大的震撼,已不是她小小年紀所能應付的了,她拚命搖頭,完全拒絕相信這是事實。『妳不是我娘,妳是少奶奶!我娘,她早就死了!如果她沒死,她怎麼不要我爹,不要我奶奶,也不要我呢?我娘……死了……死了……』

雪珂眼睛一閉,淚水成串成串的滾落。她的思想、意識和神志全亂了,五臟六腑,痛成一團。她再張開眼睛,哀哀無告的看著小雨點,眼前仍然有著幾千幾萬個小雨點,每個小雨點都在喊:

『妳不是我娘！妳不是！我娘早就死了！死了……』

每個小雨點都不認她！她好不容易找回來的女兒，小雨點。但是，小雨點不肯認她！

小雨點不肯認她！這麼巨大的悲哀，把什麼都涵蓋了。連恐懼都退到一邊去了。而這時候，王爺、福晉、羅老太、至剛、翡翠、嘉珊……幾乎全世界的人都湧向雪珂的臥房裡來了，暴風雨終於天崩地裂的爆發了。

12

『賤人！孽種！』

至剛衝進門來，一手抓住雪珂，一手抓住小雨點，發瘋般的搖著。他的臉色鐵青，眼睛怒瞪著，眼珠幾乎都突了出來。他的聲音嘶嗄、沙啞，卻震耳欲聾的響著：

『妳們怎麼可以這樣對我！妳，』他瞪著雪珂：『妳做的好事！原來妳不止偷了人，還生下了孽種，妳帶著一身的罪孽嫁入羅家，不夠嗎？妳還把妳的孽種也弄了進來，玩弄我們母子於掌上！妳！妳！好無恥，好下流！這樣卑鄙的手腕，妳怎麼做得出來？妳說！妳說！妳要讓我這頂綠帽子，戴到什麼地步妳才滿意？妳說！妳說！妳說……』

他那麼瘋狂的搖著雪珂，她的牙齒和牙齒都在打顫，本來就已經心碎腸斷，此時更是痛不欲生。她失去說話的能力，失去反應的能力，只恨不能化爲一股煙，從他那巨靈之掌中，從這種巨大的羞辱和悲哀中飄走，飄出窗外，飄散到四面八方去。

『住手！住手！』奔進來的王爺大喊著：『事情既然已經鬧開了，我們都不是小孩子，可不可以理性的坐下來，大家好好的討論一下該如何善後……』

『是啊，是啊，』福晉心驚膽戰的應著：『別傷了雪珂，別傷了小雨點！我們知道是我們理虧，但是，這決不是我們有意安排的……會弄成今天這個局面，我們也很意外呀！至剛，請你看在八年夫妻的份上，千萬別傷了她們兩個呀！』

『八年夫妻！』至剛咬牙切齒，手握得更緊，雪珂的神志都麻木了，連痛楚也無法感覺了。小雨點卻痛得大哭了起來，努力想掙脫至剛，至剛的手指卻像鐵鉗一般緊緊鉗住了她瘦小的胳臂。『八年夫妻！虧你們說得出口！一家子全是無恥之徒！騙了我八年，裝神弄鬼了八年，害了我八年，羞辱了我八年……現在還敢跟我提八年夫妻這四個字！』他用力把雪珂一推，雙手舉起小雨點：『這個孩子，是八年夫妻產生的嗎？』說著，他用力把小雨點砸向牆上去。

雪珂醒了，像箭一般，她飛撲過去，遮在牆前面，小雨點重重的砸在雪珂胸前，雪珂痛得天昏地暗，卻用力的抱住小雨點，不許至剛再把她搶回去。可是至剛力大無窮，就那麼一扯，小雨點又回到了他手中。

『我錯了，我錯了，我錯了，我錯了，我錯了，……』雪珂一疊連聲的喊了出來，跪下去，對著至剛磕下頭去，她的前額重重的碰著地，磕得咚咚咚直響。『我無恥，我下流，我罪該萬死……隨你怎麼處置我，打我，罵我，關我，燒我，佔有我，屈辱我……隨你，要怎麼樣就怎麼樣！但是，請饒了我的孩子吧！』她又跪向老太太，再『咚咚咚』磕下頭去。『娘……』

『不許叫我娘！』羅老太怒吼。

『羅老太太！羅老夫人！』雪珂磕頭如搗蒜。『請您開恩，饒了我的孩子！饒了我的孩子吧！』

『至剛！』嘉珊不知從那兒跑了出來，去拉至剛的手腕：『你就饒了那孩子吧！』

『滾開！』至剛怒罵：『妳不想活了，今天誰也別想攔我！滾！』他用力一推，嘉珊就摔了出去。

『好了！』王爺大吼了一聲，挺身而出，攔在至剛面前：『把小雨點給我！』

『給你？我爲什麼要給你？』至剛一聲大叫，伸手就掐住了小雨點的脖子：『我勒死妳！我勒死妳！』

小雨點又嗆又咳又哭，一口氣提不上來，眼睛往上翻，翡翠、王爺全撲過來救人，雪珂想也來不及想，就張開嘴，一口咬在至剛手腕上，狠狠的咬住不放，至剛痛極鬆手，王爺飛快的搶到了小雨點。而至剛，快要氣瘋了，抬起脚來，他一脚踹翻了雪珂，又一耳光對她揮去。雪珂身子飛出去，跌落在牆角，嘴邊流出血來。翡翠慌忙扶住，哭著叫：

『格格！格格！格格……』

這一陣大鬧簡直驚天動地。小雨點喘過氣來，縮在王爺懷中，嗚嗚咽咽抽噎不止。王爺臉色慘白，跺著脚說：

『罷了！罷了！鬧到這種地步，那麼只有一條路了！從今以後，咱們兩家恩斷義絕！兩不相干！現在，雪珂和小雨點兒，我要一併帶走！』王爺說著，就揚聲大喊：『李標！趙飛！來人呀！』

李標、趙飛……等四個大漢，應聲而入，往房裡四角一站。

至剛看著這四人，看著王爺，看著雪珂，忽然仰天大笑起來：

『好，好，好！全是有備而來！軟的不成就來硬的！把我們羅家當成了王府！好，好，好！』他掃視著王爺等人：『你們未免把人看扁了！想要打架，是嗎？王爺！你以爲你還是王爺嗎？哈哈哈哈！』他狂笑著，重重的一擊掌，學著王爺的口氣揚聲大喊：『來人呀！』

房門豁然大開，老閔帶著一排軍人，荷槍實彈的站在房門口。

王爺臉色慘變。

『現在，你給我聽著！』至剛指著王爺和福晉，凜然的說：『小雨點和雪珂，既然進了我們羅家門，就休想出我們羅家門！我說過，我要一天天、一月月、一年年的跟她算帳，現在，又多了個小野種！這筆帳，我會慢慢算清，加倍討還！至於你們兩個，給我滾吧！你已經是被時代淘汰的老骨董，帶著你的四個窩囊廢，一起滾吧！別在這兒丟人現眼了！』

李標動了一下身子，王爺急忙抬起手來：

『李標！不得魯莽！』

『哈哈哈！』至剛狂笑。『畢竟是王爺，知道輕重厲害！』他大步向前，一伸手，搶過小雨點來。『我家的丫頭，由我來處理……』

雪珂一驚，顧不得嘴角腫著，顧不得在流血，也顧不得渾身的疼痛，更顧不得尊嚴與面子，她撐持著，連爬帶滾的膝行到至剛面前，哀求的抬頭看他：

『請不要傷害我的父母，讓他們平平安安的走！我在這兒，隨你怎麼處置！你……也放了小雨點吧！讓她跟我的父母一起走，好不好？好不好……』

嘉珊走過來，也對至剛跪下了。

『至剛！』嘉珊含淚說：『咱們是積善之家，何苦爲難一個小孩子呢？你算是爲玉麟，做件好事吧！』

『放掉小雨點！妳們做夢！』至剛狂叫著：『她是老天賜給我的！要讓我慢慢來消除胸中的積怨！誰再多說一句話，誰就吃不了兜著走！嘉珊，妳也一樣！如果活得不耐煩，我也有辦法讓妳求生不得，求死無門！妳要不要試試看！』

嘉珊一嚇，什麼話都不敢說了。

至剛一回頭，手指著王爺和福晉，對門外的軍人大聲吩咐：

『把這老頭和老太婆，給我攆出去！』

王爺和福晉，帶著四名親信，當天就來到了寒玉樓。

高寒是那麼驚愕與震動。小雨點的身世，居然被拆穿！小雨點和雪珂，居然被囚！那個羅至剛，居然眞的與軍方有聯繫，而且能立刻調兵遣將！王爺、福晉和四名高手，居然被逐出羅宅！這每一件事，都讓他又急又驚又害怕——雪珂和小雨點，身陷重圍，這一下，該怎麼辦？

『我眞後悔，』王爺激動的說：『如果接受了你上次的建議，讓李標他們保護你們逃走，說不定，你們已經逃成功了！』

『不！』高寒搖了搖頭。『我現在才知道，雪珂警告我的話是眞的，這個羅至剛並不是紙老虎，如果我和雪珂冒險逃走，也不是那麼容易的事！』

『但是，總比現在的情況好！』王爺痛定思痛：『我是那麼自信，能輕易救出小雨點！我是那麼自信，只要你不介入，雪珂和至剛的婚姻就會幸福！唉！』王爺長嘆：『一錯再錯，竟錯到今天這個地步！想當初，爲什麼不讓有情人終成眷屬呢？爲什麼一定要拆散人家小夫妻呢？』

高寒眼中驀的充滿了淚水。

『王爺，你終於打算承認我了？』高寒啞聲說：『雖然現在已經到了最糟的地步，我仍然爲你這句話而感動！』高寒說完，站起身來就向門外走。

『亞蒙！你去那裡？』王爺驚問。

『我去羅家！我去找那個羅至剛！』高寒堅定的說：『現在，是兩個男人該面對面的時候了！』

『不行！你給我回來！』王爺大驚的說：『你以爲那羅至剛會跟你心平氣和的談道理，講義氣，論英雄嗎？他會承認你們那天地爲證的婚姻，而感動得涕泗交流，把雪珂和小雨點還給你嗎？你不要幼稚了，一個小雨點，已經讓羅至剛快發瘋了，再加上一個你……羅至剛會把你們三個一起殺掉的！』

『對對對！』福晉急忙攔住高寒，『千萬去不得！你這一去，是成事不足，敗事有餘！』

『那，我們要怎麼辦？』

王爺眉頭一皺，眼神陰鬱，他坐在那兒，沉吟不語。片刻，他倏然抬頭，穩定的說：

『叫李標他們四個，和你的阿德，統統進來，我們要一起共商大計！』

高寒凝視王爺。一瞬間，在這老人臉上，依稀又看到當年那運籌帷幄，叱咤風雲的威武人物——不折不扣的一個『王爺』！

這一夜，羅府中幾乎沒有什麼人睡覺。

小雨點被馮媽帶走了，在羅老太的命令下，押進磨坊，徹夜磨豆子。

至剛躺在雪珂房中，雙手枕在腦後，他整夜瞪著帳頂發呆。經過了那麼大的一場發作之後，狂怒的情緒已經消退，現在，他剩下的是筋疲力盡和無邊無際的悲憤。這悲憤的感覺，像冬季黑夜的潮水，冰冷徹骨，黑暗無邊，把他整個吞噬住。

雪珂跪在床前，一整夜，她就跪在床前。頭髮是散亂的，嘴角是腫脹的，眼神是狂亂的，身子是顫抖的。好幾度，她都搖搖欲墜要倒下，但她依舊堅忍著，不讓自己倒下去。翡翠一會兒端茶給至剛，一會兒送水給雪珂，室內靜悄悄的，她也不敢說任何話，當至剛偶爾對她怒瞪過來，她就慌忙跪下去，陪著雪珂一起跪。

這樣折騰到天亮。

至剛微側過頭去，在晨曦的光暈中，去看雪珂的臉。她如此狼狽，如此憔悴，帶著傷，散著髮，她不再美麗。這個負傷的、被囚禁的女人已不再美麗！他有勝利感，有報復後的快感，他總算把她那份虛偽的高貴給摧折了！但是，這快感一閃而逝，起而代之的是更深刻的哀愁。她動了動身子，感到他在注視自己，雪珂仆向前去，迫切的迎視著他的目光。她啞啞的，輕輕的，怕怕的……卻十分『勇敢』的開了口：

『至剛！我已經說了幾千幾萬個對不起，但是，我想不出其他的字句能代表我對你的歉意，我知道……今天即使把我碎屍萬段，也難消你心頭之恨……這種傷害，大概我一世做牛做馬，也彌補不了！』

他死死的盯著她。

『前幾天，你說你愛我，要和我重新開始！』她把整夜在心中盤算了千遍萬遍的話，一股腦的傾吐出來。『現在，發生了小雨點的事，大概那份愛，已被刻骨的恨所取代了！愛也好，恨也好，你說了，要和我算一輩子的帳！至剛，我等在這兒，我守在這兒，讓你算一輩子的帳！可是，小雨點兒，她生也無辜，錯都是我犯的，不是她犯的！你懲罰我，放了小雨點吧！』

『說了半天，』至剛冷哼了一聲：『妳還是在為小雨點求情！事情發生到現在，妳心裡唯一的盤算，就是怎樣救小雨點，是嗎？是嗎？』

『是。』她坦白的說，淚又盈眶。『請你告訴我，怎樣才能救小雨點，請你告訴我！』

『晚了！』他去看帳頂。『晚了！』

『怎麼晚了？』她去輕拉他的手。

他一唬的轉過身來，怒拍了一下床沿。

『這全是妳自己造成的！妳千不該萬不該欺騙我！當我向妳剖白我的眞心的時候，我是那麼誠懇，妳的過去，我全不計較了！我那麼眞心待妳，妳為什麼不對我坦白？如果妳早告訴我，有個小雨點，我生氣歸生氣，總不至於承受不住這個打擊！為什麼要讓娘來告訴我？讓我被那種受騙上當的感覺逼得要發狂？』他猛然從床上坐起，激動得喘息不已。『妳是眞不明白還是假不明白？爲了妳，我把所有男性自尊都踩在脚下，我眞的不預備去計較妳的過去了！小雨點屬於妳的過去，我那麼眞心的要包容一切，我有這個度量，爲什麼不能包容小雨點呢？如果妳老早對我推心置腹，對我坦白，我會成全妳的，我會讓妳父母帶走她的！』

雪珂震動的看著至剛，迫切的抓著他的手。

『那麼現在呢？還有沒有挽回的餘地？』

至剛深吸了口氣。

『現在，晚了！』

『那麼，你要把小雨點怎樣呢？』

『不怎樣！』至剛冷冷的說：『小丫頭該做些什麼，她就做些什麼！但是，從此，她是娘的丫頭，由娘來支配！馮媽來管理！妳和她不許見面！』

她用雙手捧住至剛的手，迫切的看進他眼中深處去。

『爲什麼要這樣累呢？你並不眞正恨小雨點，你恨的是我！從今以後，我會對你好，我全心全意對你好。至於你如何對我，我都把它視爲一種恩寵！至剛，我終於有些瞭解你了！昨天，你在那樣的狂怒中，仍然放掉了我的父母！在你心裡，始終有那麼柔軟的一片天地！是我太愚昧太忽略了，才一而再、再而三的傷害你……如果，你現在還肯原諒我，還肯放掉小雨點，我對你的感激，會深不可測！在這樣深不可測的感激中，此生此世，你將是我唯一的主人！唯一的神祇！至剛，不要說晚了，假若我們都有誠意，來重新開始，那就永遠不會晚，是不是？我們才浪費了八年，還有無數個八年在前面等著，你爲什麼一定要讓小雨點待在這個家庭裡，成爲我們之間眞正的絆脚石呢？那不是太笨了？』

至剛用奇異的眼光盯著雪珂。她說得那麼熱切，那麼眞摯，面頰因激動而染紅了，眼睛因渴盼而閃著光彩。怎麼，這個女人又綻放出這般的美麗！幾乎是讓人眩目的！

『妳的字字句句，都是爲小雨點而說！』至剛抽了口氣：『現在，在妳身上放著光彩的，是妳的「母性」，絕不是妳對我的「愛情」，我對妳瞭解得已經相當透徹了！可是——』他又深抽一口氣：『妳這番話仍然打動了我，眞的打動了我！』

『相信我！』雪珂更迫切的說：『請你相信我，這次是眞心眞意的，只要你放了小雨點，我就全心全意守著你，做你一生一世的賢妻！』

他凝視著她。

『我需要冷靜的想一想，考慮考慮！』

她再握住他。

『在你考慮的時候，可不可以讓小雨點好過些，她只是個小孩子，她什麼都不知道！』

至剛咬咬牙，長嘆一聲。

『妳放心，如果不是氣極了，我們羅家，何曾虐待過丫頭？』他走下床來：『我去吩咐馮媽，讓小雨點停止推磨睡覺去！』

雪珂眼中一熱。終於，終於，終於，終於……在混亂的黑暗中，有了一線光明，只要救出小雨點，她什麼都不在乎了。亞蒙，這名字從心頭劃過，像一把銳利的小刀子，劃得好痛。亞蒙將成過去的名詞，永埋記憶的深處。對不起！在她的生命中，有太多的『對不起』。亞蒙，對不起！

就在雪珂已經說動了羅至剛的時刻，王爺和高寒，卻採取了行動。

這天午後，有個年輕的小伙子，單槍匹馬，來訪羅至剛。一進了門，就表明態度，有事必須面告羅家少爺。老閔把他帶過層層防衛的大院和長廊，進入了大廳。

羅至剛出來一見，不禁怔了怔，這小伙子好生眼熟，不知何時曾經見過，他正猶豫，小伙子已笑嘻嘻的福了一福。

『羅少爺，我是寒玉樓的阿德！上次您駕臨寒玉樓，就是我招呼您的！』

哦，寒玉樓！羅至剛恍然大悟，跟著恍然之後，卻是一陣狐疑。寒玉樓，家裡接二連三的出事，他幾乎已經把寒玉樓給忘了。他瞪著阿德，阿德眼光掃著老閔。至剛對老閔一抬下巴：

『這兒沒你的事了！下去吧！』

老閔走後，阿德從懷中慎重的掏出一封信來：『咱們家少爺，要我把這封信，親手交到您手裡！』

至剛更加狐疑，接過了信。阿德並不告辭，說：

『少爺說，請您立即過目，給一個回話！』

至剛拆開了信，只見上面簡簡單單的寫著。

『心病尚需心藥醫，冤家宜解不宜結，有客自遠方來，九年恩怨說分明，欲知詳情，今晚八時，請來寒玉樓一會！』

至剛心中一驚，猛的抬頭，緊盯著阿德：

『你們少爺還告訴了你什麼？』

『我們少爺，這兩天家中有客，十分忙碌，他要我轉告，事關機密，請不要勞師動衆，以免打草驚蛇。信得過信不過都在你，他誠心邀你一會！』

至剛聽得糊塗極了，但他所有的好奇心、懷疑心全被勾起，只感到心中熱血澎湃，激動得不能自已。他把信紙一團團在手中，緊緊握牢。

『告訴他，晚上八時我準到！』

至剛並不糊塗，雖然對方說『不要勞師動衆』，他仍然帶著四個好手去赴會。到了寒玉樓，才覺得四個好手有點多餘，整個寒玉樓孤零零、靜悄悄的聳立在清風街上，樓裡透著燈光，看來十分幽靜。

『你們四個，在外面等著，我一拍手，就衝進來！』

『是！』

埋伏好了伏兵，他才敲門入內。

阿德來應門。至剛一進門內，就不禁一怔。只見整個店都空了，那些架子都光溜溜的，屏風、字畫、骨董、玉石一概不見。店裡收拾得纖塵不染，空曠的房子正中，放著一張桌子，兩把椅子，桌上，有一座小爐，上面燒著一壺開水。旁邊放著兩個茶杯。高寒正在那兒好整以暇的洗茶沏茶。

阿德退出了房間，房裡只剩下高寒和至剛二人。

『請坐！』高寒把沏好的茶往桌上一放，指指椅子。

至剛四面看看，不見一個人影。心裡怦然一跳，戒備之心頓起，疑惑也跟著而來，他凝視高寒，簡短的問：

『你葫蘆裡在賣什麼藥？趕快明說！我沒時間多耗！你說「有客自遠方來，客呢？怎麼不見？」

『你已經見到了！』高寒抬起頭來，正視著至剛：『那個客人就是我！』

至剛震動的抬眼看高寒，兩個男人都深刻的打量著對方。至剛再一次被高寒那股儒雅的氣質，英俊的容貌，和那對深不可測的眼神所震懾住，這個男人，這個名叫高寒的男人，到底用心何在？

『你是什麼意思？』至剛勉強穩定住自己，沉聲問。

『你已經知道我名叫高寒，我相信你也已經打聽清楚了我的家世。』高寒靜靜的說：『但是，我還有另一個名字，九年前，我姓顧，名叫亞蒙。』

至剛完全呆住了。

『如果你對顧亞蒙這名字也不熟悉，』高寒繼續說：『那麼，你一定知道雪珂，知道小雨點！雪珂是我的妻子，小雨點是我的親生女兒！我們一家三口，已經失散八年了！』

至剛怔在那兒，死死的盯著高寒，驚愕得失去了思想的能力。好半天，他才回過神來。看看門外，他來不及拍手叫人，就聽到身後，有個聲音說：

『至剛，宴無好宴，會無好會！』

他一驚回頭，王爺和福晉正站在身後。

『你不用叫人了！』王爺從容不迫的說：『你手下的四個人，已經棄械投降了。你大概沒有想到，我也可以從北京連夜調來人手！所以，現在，沒有人會來干擾我們，是我們幾個，該開誠佈公，好好的談一談的時候了！』

13

至剛帶著四個人出去，徹夜未歸。

羅老太一早就覺得眼皮跳，心跳，肉跳……不祥的預感，把她緊緊包圍了。這些天以來，家裡動不動就大的哭，小的叫，雞飛狗跳。又弄了好些軍人住在側院，又是槍又是刀的，看起來就觸目驚心。這樣發展下去，家裡一定會出大禍的，她不安極了。而嘉珊，已經六神無主了。

『娘，』嘉珊著急的說：『咱們要不要去吳將軍那裡找找看，會不會醉倒在人家家裡了？』

『如果是喝醉了，遲早是會送回來的！』老太眼睛一瞪。『雪珂呢？』

『在……在……』嘉珊囁嚅著。

『在幹嘛？』老太怒聲問。

『在……給小雨點上藥，那孩子……渾身又青又紫的，翡翠和雪珂姐，在……在給她敷藥酒！』

『我不是說不許她們見面嗎？』老太一拍椅子：『誰讓她們在一起的？』

『是……是……是我。』

『嘉珊！妳！』老太瞪大了眼睛。

『娘！』嘉珊懇求似的看了老太一眼。『至剛昨天曾經特別交代，說是不要爲難她們母女，如果她們要在一起，睜一眼閉一眼就好……他說，反正沒有兩天，雪珂和小雨點，就會永別了！』

『是嗎？』老太深思起來。『這麼說，至剛心裡已經有了打算？他要……送走小雨點？留下雪珂？』

『是！』嘉珊應著，斗膽說：『娘！我看至剛是要定了雪珂姐的，我們如果放掉小雨點，雪珂姐會感恩，夫妻說不定就和睦了。也顯得咱們家雍容大度，息事寧人！』

老太沉吟不語，嘉珊忙著給老太搓紙捲，燃水煙袋。正在此時，老閔忽然急匆匆的進來報告：

『老太太！老太太！』

『什麼事跑得這麼急？』

『王爺和福晉又來了！』

『哎！』老太一驚：『帶了很多人嗎？』

『那倒沒有，只帶了一個人！』

『誰？』

『沒見過，一個個子高高的，穿長衫，相貌挺俊朗的人！他們說，有事要和老太太面談！』

羅老太驚疑不止，一唬的站起身來。

『告訴側院裡的那些人，讓他們準備準備！』

『是！』

羅老太昂首挺胸，非常威嚴的走進大廳。

一進大廳，羅老太的目光就被高寒吸引住了，好一個劍眉朗目，風度翩翩的人物！身材頎長，外表出衆，一襲長衫，帶著種飄然脫俗的韻味。羅老太活了大半輩子，閱人已多，卻不曾見過這般英俊的人。羅老太還沒來得及說什麼，高寒已拱手為禮，朗聲說：

『羅老太太，我先自我介紹，我名叫高寒！』

『哼！』羅老太太哼了一聲，掉頭去看王爺和福晉：『你們一塊兒來，想必有相同的目的，是什麼？說吧！』

『好！』王爺接口。『妳乾脆，咱們也不嚕嗦，至剛和他的四名手下，現在正被我的二十名好手押著！我那二十人，也個個有刀有槍！』

羅老太大大的震動了，她瞪著王爺，僅從王爺的神色上，已知此事不假。她一陣心驚肉跳，只覺得天旋地轉。扶著椅背，她勉強維持著自己。怪不得一早就覺得不祥，原來至剛出事了！

『老太太，請不要驚慌！』高寒往前走了一步，緊盯著羅老太。『只要您肯把我的女兒和妻子還給我，我們就會把您的少爺毫髮無傷的送回來！』

女兒和妻子？羅老太踉蹌一退，再度抬頭，銳利的打量著高寒，顫聲說：

『你，你，你是誰？』

『在下高寒，又名顧亞蒙！』高寒抬著頭，沉穩而清楚的說：『九年前，在北京大佛寺和雪珂成親，有天地爲證，菩薩爲鑑。小雨點兒，是我的親生女兒！如今母女二人，都陷身貴府，你們高抬貴手，我們也會立刻放人！』

羅老太目瞪口呆，老閔在門口伸頭看動靜。

『再有！』王爺接口，掃了老閔一眼。『我們三個，如果一個時辰內不趕回去，羅至剛就性命不保了！』

羅老太深抽了口氣，走上前去，把高寒從上到下，仔仔細細的看了一遍：

『原來是這樣的！原來你就在承德，和雪珂糾纏不清！你們如此欺瞞至剛，如此掩耳盜鈴！虧你還口口聲聲說是妻子女兒，我們不這麼說的！我們管你們這種人叫姦夫淫婦，叫小雨點兒是孽種……』

『小心妳的措辭！』高寒逼近老太，也把老太從上到下看一遍。『妳面對的這個人，九年前被迫與妻子母親分離，九年來歷經風霜雨露，忍受妻離子散的痛苦，多少次倒下，多少次爬起，多少次在走投無路中掙扎……這些年來，賴以存活的意念只有一個，找回失散的親人！如今，老母已孤苦無依，死不瞑目的去了！女兒陷身於此，做著小丫頭，爲你們端茶送水。深愛的妻子，八年來生活在妳兒子的枕邊，被當成羅家的兒媳！妳以爲，我承受的還不夠多？別在這樣一個身心交瘁的人面前，逞口舌之利！造化弄人，我和妳的兒子，各有各的悲劇！事實上，不是我來搶羅至剛的妻子，是羅至剛搶走了我的妻子！』他頓了頓。『今天，我還肯跟妳說這些道理，只因爲尊敬您也飽經憂患，看過人世滄桑，又是一家之長！不要是非不分，顚倒因果！只要您一念之仁，放掉雪珂和小雨點，我們之間，仍可化戾氣爲祥和！您不妨三思！』

羅老太怔住了。只覺得高寒挺立在面前，像山一般高，渾身上下，自有一股正氣，咄咄逼人。一時間，她竟被逼得無言以對。兩人相峙，各自打量著對方。

就在這時，雪珂拉了小雨點，從長廊中一路奔來，撞開了馮媽、老閔等人的攔阻，她直衝進大廳：

『亞蒙！』她上氣不接下氣的，喘著、咳著，顫抖著喊：『真的是你來了！』她轉頭看王爺和福晉：『爹！娘！』好像已經分別了幾百幾千年，此番再見，恍惚是幾生幾世以後，淚水奪眶而出。

『雪珂！小雨點兒！』福晉也喊著。『妳們怎樣？給我看看！至剛有沒有傷了妳們，給我看看！』

高寒一見到雪珂和小雨點，眼光就像被某種強大的磁力所吸引，再也轉不開視線。雪珂顧不得福晉的呼喚，已急急忙忙把小雨點推向前，一直推到高寒面前去。嘴裡急促而緊張的喊著：

『小雨點兒！快見見——妳爹！』

小雨點震動的站在那兒，紛亂而困惑。這接二連三發生的事情已經太多太多，簡直不是她小小的心靈所能承受的。還沒有從少奶奶變成『娘』的震驚中恢復，現在，又出現了『爹』，她呆呆的站著，呆呆的看著高寒。

『小雨點兒！』雪珂迫切的喊：『妳不認我娘，沒有關係，但是，妳一定要認爹呀！這是妳爹，妳親生的爹，妳從小沒見過的爹！他眞的是妳的爹呀！』

小雨點抬頭看著高寒，又慌亂又迷惑。爹？爹不是在新疆採礦嗎？爹怎會在這兒呢？爹怎會和王爺、福晉在一起？爹怎麼站在羅家的大廳裡呢？……幾百種疑問齊集心頭，但，這個高大漂亮的男人，看來如此親切，如此熟悉呀！

『小雨點！』高寒痛喊了一聲，蹲下身子，目不轉睛的注視著這個從未謀面的女兒，那麼清秀，那麼玲瓏細緻，那麼溫婉美麗，那麼楚楚動人呀！『小雨點！』高寒喉中梗著。『妳奶奶有沒有跟妳說過，妳爹小時候很頑皮，有一次去爬城牆，被隻大狗在胳膊上咬了一口，流了好多血，妳奶奶嚇得從王府奔回家，以爲你爹被瘋狗咬了，會害恐水症死掉……』他挽起袖子，給小雨點看胳膊上那陳舊的傷痕。『這就是那幾個牙印兒！』

『爹呀！』小雨點脫口驚呼，一下子撲進了高寒的懷裡。『爹呀，爹呀……』她一疊連聲喊著，淚如雨下。『我和奶奶去找你，一直走一直走，都找不到你！爹呀！現在奶奶已經死了，她見不到你了！她見不到你了……』小雨點積壓已久的苦楚，突然泉湧而至，一發而不可收拾，她抱緊高寒，號啕痛哭。

雪珂的淚，也瘋狂般的奪眶而出，流了滿臉。她拭著淚，卻拭也拭不完。小雨點，她不肯認娘，卻立刻認了爹！她心中又酸又痛：，畢竟，她認了爹！以後，她有爹的照顧，她應該會幸福快樂了！雪珂轉身，對羅老太太跪了下去：

『請讓小雨點跟他的爹回去，』她說：『我會履行我對至剛的承諾，我留下，從此，做羅家最忠實的兒媳，做至剛一生一世的賢妻！』

『雪珂！』高寒驚喊，迅速的站起身子來。『現在，妳已經不必作這樣的犧牲了！我們一家三口，是團圓的時候了！妳不要怕，那羅至剛現在在我們手裡，我們要用他來交換妳們母女兩個！』他一抬眼看羅老太。『羅老太太！妳怎麼說？』

福晉擦了擦眼睛，紅著眼眶，對羅老太也跨前一步。

『妳就成全了這個家庭吧！妳看他們這種樣子……惻隱之心，人皆有之。不是嗎？』

『我們帶走雪珂和小雨點，』王爺接口：『馬上就放至剛回家！這樣各得其所，不是皆大歡喜嗎？』

羅老太挺著背脊，面不改色。小雨點認父親這一幕，確實也曾讓她心中感動，但是，他們竟聯合起來，扣押至剛，再脅迫她放人，這太卑鄙了！一人換兩人，這又太便宜王爺了。何況，如果她放了人，王爺卻一不做二不休，斬草除根，以絕後患呢？老太太一轉念間，已不寒而慄，她不信任王爺，也不信任高寒！

『老閔！』她回頭大聲說：『把雪珂和小雨點，給我帶回房去！』她抬頭看看高寒和王爺：『你們可以換走小雨點，但是，不能換走雪珂！雪珂是我們羅家三媒六聘，大肆鋪張娶進門的媳婦，是你王爺親自嫁給我們的女兒，現在，不能讓別人隨隨便便認了去！這件事，就算我答應，至剛也不會答應！我現在放小雨點，已是情迫無奈，你們不要逼我！逼急了，雙方都有人手，刀槍不長眼睛，誰都不見得討著便宜！你們要換人，說個時間地點，我們交小雨點，你們還我一個好好的至剛！如果至剛有一丁點差錯，我會在雪珂身上討還！』

『不行！』高寒激動的說：『雪珂和小雨點，我缺一而不可！我保證還妳一個健健康康的羅至剛，但我要換回她們兩個！』

『不不不！』雪珂轉向了高寒，急切的說：『求求你不要再爭了，能夠看到你們父女團聚，我已經感恩不已！老太太說得對，我是爹娘做主嫁過來的，於情於理，我都無法離開羅家！亞蒙，求求你！不要再爭了！你把至剛還回來，早些把小雨點帶到南邊去吧！她已經過了八年顛沛流離的歲月，實在不能再受折磨，請你給她一個安定的生活，一個溫暖的家，我會在承德，爲你們遙遙祝福！這，就是我此生最大最大的安慰了！』

『雪珂！』高寒震動的喊：『妳變了！爲什麼妳忽然自願留下？難道妳不珍惜一家團聚的日子嗎？』

『你不懂！』雪珂哭著說：『至剛要我的心意是那麼堅強，如果我眞跟你走了，天長地遠，我們永無寧日，羅家和爹娘，難道眞的武力相向，冤冤相報，何時能了？請你，請爹娘諒解……我要留在羅家，我不能跟你們走！』

『好了！』老太太大聲說：『夠了，不要再多費唇舌！你們說個時間地點，我們換人！現在，雪珂和小雨點，進裡面去！』

雪珂急忙爬起來，去牽小雨點的手。高寒本能的摟住小雨點一退。王爺拉了拉高寒：

『算了，我們換回一個是一個！』他抬頭定定看著羅老太：『明天早上九點，我們在清風街寒玉樓見面！』

雪珂再幽幽的，深摯的看了高寒一眼，這一眼中包含了千言萬語。她握緊了小雨點的手，把她往屋後的迴廊深處帶去。小雨點還沒有從認父的震動中恢復，一步一回頭，一回頭一聲呼喚：

『爹！爹！爹……』

『小雨點，』雪珂哽咽的說：『不要急，從明天開始，妳和爹就再也不會分開了！』

客廳裡，高寒的眼光，和高寒的心，都跟著雪珂母女，一齊往迴廊深處飛去。王爺及時拉了高寒一把，別有深意的說：

『話已說完，我們也該走了！亞蒙，灑脫一點！是你的，總歸是你的，不是你的，就命定不屬於你！』

這天晚上，羅老太突發善心，讓小雨點和雪珂共度最後一夜。當然，羅老太也經過了內心的掙扎，自從至剛一句『我愛她』開始，老太太第一次試著去透視至剛的內心世界，終於明白了一件事，失去雪珂比失去他的生命還嚴重，這使她在接二連三的意外事件中，一直能肯定一件事，要留下雪珂！雖然，用她的天平來稱，十個雪珂，一百個雪珂都沒有一個至剛重要。若能換回至剛，她才不在乎雪珂的去留。可是，她深怕至剛失去雪珂後，就像雪珂在大廳裡說的，『天長地遠，永無寧日！』至剛會用他整個後半生，來追尋報復，於是『冤冤相報，何時能了？』如果說，老太太終於會對雪珂有了一念之仁，就是從這篇話開始的。當然，老太的另一個震撼，來自高寒。

她一直認爲雪珂和奶媽的兒子『通姦』，這顧亞蒙是個『下等人』，如今一見，不論風度、儀表、談吐，都是這麼不凡。而九年以來，情有獨鍾，天涯海角，追尋至今！這種事實，使老太那女性的內心，激盪不已。

因而，她答應了雪珂，這晚，讓小雨點睡在雪珂房裡。給母女兩個，一個訣別的機會。

『少奶奶，』小雨點躺在床上，實在是睡不著，心裡翻騰洶湧，全是幾日來的大震動。『我明天就跟爹去了，那麼，妳呢？』

雪珂心中一酸。她手裡，正忙忙碌碌的在爲小雨點縫製一件新衣。她深深的看了小雨點一眼，她叫爹已經叫得那麼順了，叫她卻仍叫『少奶奶』。

『我……』她噓了口氣，回答：『我還是繼續的做羅家的少奶奶！』

『可是……』小雨點一呆：『妳不是說，妳是我娘嗎？』

雪珂心中又一酸。

『奶奶不是告訴妳，妳娘早就死了，妳就相信妳娘已經死了吧！我不是妳娘，我是少奶奶！』

『可是……』小雨點發急了。『妳原來一直說是的！翡翠姐姐也這麼說，王爺、福晉也這麼說……大家都這麼說呀！怎麼又不是了呢？』

雪珂眼淚一掉，擁住了小雨點，緊緊、緊緊的抱於懷。顫聲說：

『不要管大家怎麼說了！明天妳就要離開，從此跟著妳爹，我們再也不會見面，妳明白嗎？好好的跟著妳爹過日子去，從此，忘掉我這個羅家少奶奶吧！』

小雨點哭了。

『我不要忘掉妳！妳是世界上對我最好的人兒，妳幫我擦燈罩，幫我上藥，給我好東西吃……妳對我這麼好這麼好，我不要忘掉妳！』又說又哭的，就咳了起來。

雪珂也哭了，一邊哭，一邊拍著小雨點的背脊。

『睡吧！孩子！』她哽咽的說：『折騰了幾天都沒睡，該好好的睡一覺了，醒來，就見著爹爹了！睡吧！』

她把小雨點放倒在床上，拉起棉被，好細心，好溫柔的蓋住她。小雨點抽噎著，但是，實在太累了，眼皮好重好重，終於，眼睛慢慢的闔上了。

雪珂坐在床邊，含著淚，又開始縫手裡的衣服。

翡翠悄悄的走了過來。

『格格，這下襬的邊，讓我來縫吧！』

『不！』雪珂噙著淚說：『她活到八歲，沒穿過一件我親手做的衣裳，到了羅家當小丫頭，全是穿大丫頭的舊衣服，說有多難看，就有多難看！明天要和她的爹團聚了，起碼要穿件像樣的衣服去。這件衣裳，我要一針一線，親手爲她做，等她長大了，懂得人間的悲歡離合，能瞭解我的苦衷，而能原諒我不得不離開她的無奈時，她或者會拿著這件衣服，想一想我這個親娘！』

雪珂的話才說完，小雨點已從床上一翻身而起。

『妳還說妳不是我的娘！』她流著淚喊：『我都聽到了！我每個字都聽到了！妳明明就是我的娘嘛！』她抬著淚眼看雪珂：『我不肯叫妳娘，是因爲我很難過嘛！妳若是我娘，爲什麼生下我卻不要我，那一定是不愛我，我很難過嘛……』

『我知道，我知道，我知道……』雪珂淚如雨下。『是我對不起妳呀！』

『可是，我現在知道了！』小雨點哭著喊：『妳是這麼這麼的愛我，妳根本就是我的娘呀！』

她張開手臂，把雪珂緊緊的抱住，一疊連聲的喊：『娘！娘！娘！娘……』

雪珂摟緊了小雨點，把她小小的頭，緊壓在自己肩窩裡。渾身顫抖，淚如泉湧。哦，她的小雨點，她終於認了她，終於叫她『娘』了！八年以來，只有在夢中，聽過這樣的呼喚呀！

窗口，羅老太十分震撼的看著這一幕。更加震撼的發現，自己的眼眶居然濕了。

14

這是至剛被囚的第二個晚上了。

王爺和高寒並沒有虐待他們的俘虜，一日三餐，有酒有菜，床褥也非常乾淨柔軟。偶爾，王爺會進來試圖和他溝通，談談九年前那個捉拿雪珂、充軍亞蒙、下胎不成、送兒出府、強迫成婚……直到雪珂斷指的種種經過。王爺並不是一口氣說的，因為至剛那麼暴怒，那麼不肯面對『被囚』的侮辱，和『被欺騙』的悲憤，所以，往往王爺才說了一個起頭，就被至剛的一陣怒吼給吼回去了。王爺也不急，也不生氣，只是隨時進來講那麼一點點。但，講到第二天的晚上，故事也講完了。至剛的火氣也被磨光了，當暴怒慢慢消去之後，至剛總算能咀嚼王爺說的故事了，他咀嚼出很多雪珂的悲哀，咀嚼出很多王爺的過錯，但更多更多的，是屬於自身的失落和悲痛！原來，『寒玉樓』的典故在此！原來，買雞血石的幕後是如此這般！可憐的羅至剛，卻一廂情願的在爲自己編織美夢！雪珂到底和高寒幽會了多少次？他一遍一遍回憶，很多事都恍然大悟，然後，就被嫉妒折磨得心力交瘁。在這種情況下，對高寒，他恨之入骨，所有的思緒當中，絕對沒有絲毫同情高寒的心緒。

這天晚上，高寒走進了至剛的囚室。

『對不起！』高寒在他對面的椅子上坐下，中間有張桌子，上面放了茶水。『這兩天委屈了你。明天一早，你就可以回家了！我答應了令堂，毫髮無傷的讓你回家！』

至剛震動的瞪視著高寒。

『你們提出了什麼條件？』他吼著說：『我娘答應了什麼條件？』

『我們希望……』高寒的聲音不疾不徐，眼底，有種深沉的悲哀，『用你來交換雪珂和小雨點！』

『我娘答應了？』至剛跳了起來，聲音陡的抬高了。『我娘答應了？是不是？我告訴你！』他指著高寒：『今天我是虎落平陽被犬欺！你不如殺了我，你留我一個活口，我只要一脫困，那怕是天涯海角，我也要把你們找到！你們逃得了一時，逃不了永遠，我和你們永不甘休……』

『請不要激動，』高寒指了指椅子。『坐下來，聽我把話說完！』

『我不聽你！我爲什麼要坐在這兒聽你說話？』

『因爲我們的希望並沒有達成！』高寒慢慢的說：『令堂只肯放小雨點，不肯放雪珂！而雪珂自己，居然也堅決的表示，只要小雨點能跟我走，她將留在羅家，實踐對你的諾言！』

至剛整個人楞住了，他身不由己的坐下，呆呆看著高寒。

『什麼？雪珂這麼說？』

『是！雪珂這麼說！』高寒緊盯著至剛。『她說的話和你說的很相似。她說，你要她的心願那麼強烈，如果她跟我們一起走，你會天涯海角追著我們，讓我們永無寧日！我想，雪珂對你，是非常瞭解的，所以，她自願留下，成爲你的俘虜，你的人質，來換取我和小雨點、王爺和福晉的平安。這兩天，我們迫不得已，囚禁了你，你已經暴跳如雷，雪珂，卻自願被你囚禁終身！』

至剛轉動著眼珠，心裡思潮起伏。他恨恨的看著高寒，仰了仰下巴說：

『你希望我聽了你這些話會怎樣？放掉雪珂，讓她跟著你雙宿雙飛？你這個莫名其妙的混蛋！你破壞了我的婚姻，誘拐了我的妻子，侮辱了我的自尊，又把我騙到此處，用下三濫的手法拘禁我……你給了我這麼多恥辱，難道你還希望我成全你？哈哈哈哈！』他縱聲大笑起來。『雪珂不願跟你走，讓我告訴你眞正的原因是什麼？因爲我和她畢竟做了八年夫妻！八年裡，點點滴滴，時時刻刻，我們相處的時間，一天加起來比你們當初一年加起來還要多！雪珂心中的你，不過是個海市蜃樓！而我，是眞正存在的！是眞正的「丈夫」！所以，當她終於有權在兩個男人中間選一個的時候，她選擇了我，而不是你！』

高寒的臉色，變得像紙一樣蒼白。他那深邃的眸子，一瞬也不瞬的盯著他。

『假若你確信如此，也果眞是如此，那麼，雪珂的選擇就選對了！她等於選擇了她終身的幸福，而你，也給得起她終身的幸福！那麼，我也可以帶著小雨點，死心的去了。但是，萬一雪珂不是你所想的，而是我所想的，怎麼辦呢？』

至剛怔了怔。

『哼！』他哼了一聲，揚起眉毛。『那也不勞你費心，雪珂是我的妻子，她的快樂是我的事，她的悲哀也是我的事！我根本用不著坐在這兒和你討論雪珂未來的幸福！反正，她的未來都是我的事！』

『我想，』高寒忍耐的說，眼中的悲哀更深刻了。『我們用不著再來討論，雪珂是誰的妻子！

現在，放在眼前的事實是，我們兩個，都要雪珂！』

『而雪珂，她要的是我！』至剛勝利的大聲說。

『請你有時間的時候，從頭細想。從你們的新婚之夜，從斷指立誓，從小雨點出現……你一件件想過去！如果，你眞能說服自己，我也無話可說，如果你不能說服自己。如果你發現，雪珂跟著你，確實是個悲劇，你能不能發一發慈悲，放了雪珂？』

『唷！你說到主題了！』至剛怪叫著：『我不能！你根本不必做這種夢中之夢！我不會放掉雪珂的！她心中有我，我不放她！她心中沒我，我也不放她！你聽到了沒有？夠了沒有？反正我和雪珂，今生今世休想分手！』

高寒站起身來，默默的看了至剛好一會兒。

『你一定要一個心碎的、絕望的妻子嗎？看著雪珂受苦，就是你的勝利嗎？以後還有數十年的歲月，你忍心讓雪珂痛楚一生嗎？每天面對一個空殼似的女人，這樣，你會快樂嗎？』

『這些鬼話，全是你的假設！』至剛暴跳著。『雪珂已經選擇了我，這就是我的勝利！隨你怎麼說，我不會爲你們感動的！我也絕不會放棄雪珂的！就算以後數十年歲月，她將痛楚過一生，這一生，也是屬於我的！』

高寒深深的抽了口冷氣，再看了至剛一眼，覺得再說任何話都是多餘，他默默的轉身出去了。

至剛看著高寒的背影，突然感到這背影上，載負著無盡的悲苦。他震動的坐在那兒，第一次體會到高寒這個人物的處境，其實，比他更可憐可嘆！

一清早，雪珂就給小雨點穿上了那件剛出爐的新衣。衣服是用紅色軟緞縫製的，領口，袖口，裙襬都鑲著最精細的花邊。小雨點這一生，先跟著奶奶流浪，打零工賺生活費、推車、洗衣、趕雞趕鵝，什麼苦日子都度過。接著來羅家做小丫頭，更是粗細活兒都得做。所以，從有記憶起，就穿著粗短衣，布褲子，從沒和絲綢沾過邊。這時，穿了件繡花的衣裳，繫了條拖到鞋面的長裙，她簡直興奮得手足失措。對著鏡子，她連大氣都不敢出，生怕呼口大氣，那件漂亮衣裳就不見了。

『來吧！』雪珂強忍著心中酸楚，對小雨點說：『有了新衣服，也該梳個漂亮的頭！』

她把小雨點的髮辮放鬆，用梳子小小心心，仔仔細細的梳著。梳了兩個髮髻盤在頭頂上，又找來一些髮飾，爲她插在髮際，打扮完了，看了看，簡直是個小格格呢！翡翠在一邊含淚說：

『這才是眞正的小小姐了！小雨點呀！以後，別忘了妳娘是怎樣疼妳的！』

小雨點困惑的抬起頭來，抱緊了雪珂。

『娘!今天我跟爹爹去,妳也一起去,是不是?』

『不是的!我昨晚都跟妳說清楚了,不是嗎?妳跟爹爹去!我還要留在羅家做少奶奶呀!』

小雨點紛亂極了,實在弄不清楚,爲什麼自己的娘,不跟自己的爹在一起,偏偏要當羅家的少奶奶?但,她也沒時間再去弄清楚了,羅老太出現在房門口,極具威嚴的問了一句:

『小雨點準備好了嗎?我帶她去寒玉樓!』

雪珂心中輾過一股熱浪。

『老太太!』她哀求的喊著:『能不能允許我跟你們一起去?以後……就再也見不到小雨點了,好歹……讓我送她一程。』她熱切的盯著老太:『行嗎?行嗎?』

老太看了看雪珂,又看看小雨點,心中一嘆。

『一起去吧!』

寒玉樓的門開了。

王爺、福晉和高寒站在門內。羅老太,雪珂,翡翠牽著小雨點走了進來。

『至剛呢?』羅老太冷冷的問。

『阿德已經去請了！』高寒說，眼光深深的，深深的看了雪珂一眼。

表面上，寒玉樓很安靜，羅老太和王爺等兩批人也很鎮定。但是，實際上，這個早晨大家都很忙碌，羅家側院裡的人全部出動，而寒玉樓中，顯然也四面埋伏。所以，這間大廳裡雖然空蕩蕩的，靜悄悄的，空氣裡，卻有著『山雨欲來風滿樓』的緊張情勢。

大廳後面的門一響，阿德陪著至剛走出來了。

『至剛！』羅老太激動的一喊：『你怎樣?你好嗎?有沒有傷著那兒?』

『我很好！』至剛簡短的答了三個字，眼光就落在雪珂身上了。他往前一跨步，震驚的問：『妳來幹什麼?』他又掉頭去看羅老太：『娘!妳答應用雪珂和小雨點來交換我嗎?』

『沒有！』羅老太嘆息的應著。『你的心事，我還不瞭解嗎?雪珂只是送小雨點一程而已，她要跟我們一起回家！』她轉頭盯著雪珂：『好了!我們把人都交清楚了，就該回去了！』

雪珂頓時心痛如絞。她蹲下身子，再緊抱了小雨點一下，就把她往高寒懷中推去。

『去吧！』她低語：『去找爹爹呀！』

『爹！』小雨點嚷著，撲進高寒懷裡去了。

『好了!咱們走吧！』羅老太一拉至剛。

『走吧！』至剛一拉雪珂。

雪珂眼睜睜看著小雨點，再看高寒，又看王爺和福晉，眼中已淚霧模糊：

『爹，娘！你們幫我向小雨點解釋，她太小，她什麼都不明白……』她又哽咽的轉向高寒：『亞蒙，要好好愛她，要好好照顧她，要給她一個溫暖的家……』

小雨點越聽越驚，突然間，她掙出了高寒的懷抱，飛撲回雪珂的懷裡。

『娘！娘！』她急切的喊，淚水盈眶。『妳既然是我的娘，爲什麼還要去做羅家少奶奶呢？娘！求求妳不要丟下我！我從小沒有娘，剛剛才知道妳是我的娘，我不要跟妳分開呀……』她又撲過去拉高寒：『爹！你叫娘不要走！你叫娘跟我們在一起……』說著，又奔向雪珂，氣極敗壞的：『娘！妳眞的是我的娘嗎？妳不是騙我的嗎？小時候妳不要我，爲什麼現在又不要我……』

雪珂眼睛一閉，淚落如雨。

至剛用力拉了雪珂一把，暴跳的叫：

『這又是你們出的新花招，是不是？雪珂，妳趕快跟我們走，再逗留一分鐘，我就不客氣了！』

『至剛！』福晉往前站了一步，淚眼模糊的說：『人家母女天性，這一刻，已經是肝腸寸斷，你也是有兒子的人，體諒體諒吧！』

『至剛，』王爺接口，聲音裡已全是哀懇。『我當年諸多不是，鑄成大錯！我向你們羅家致上最高的歉意……你，成全了這一家人吧！』

至剛大驚失色。他環室四顧，但見滿屋老小，一張張哀淒的臉，一對對含淚的眼，每人的眼光都投向自己。頓時間，他感到四面楚歌，腹背受敵。他驚愕的抓住雪珂的肩，激動的說：

『雪珂，這是妳的意思嗎？妳的誓言，妳的諾言都是虛假！妳存心要欺騙我傷害我！如果是這樣，妳就跟他們走！我不攔妳，妳心中沒有絲毫的慚愧，對我沒有絲毫的顧忌，妳就跟他們走！』

他對高寒小雨點用力指去。

『雪珂，』高寒急促的開了口：『妳不要怕他，妳不要受他的威脅，這一刻，妳是要我們，妳還是要羅家，妳說吧！妳選擇吧……』

『娘！娘！』小雨點哭著，拚命扯住雪珂的手臂，往高寒的方向拉去：『我愛妳呀！我要妳呀！求求妳跟我們一起走……』

『雪珂！』王爺再也忍不住，大聲的說：『只要妳一句話，爹是豁出去了！』

『對！』福晉擦著眼淚：『不要再顧忌爹娘的安全了！爹娘反正已經老了！』

小雨點撲到至剛面前，對至剛跪下就磕頭：

『我給少爺磕頭，求求你把我的娘還給我，爲什麼一定要我娘做少奶奶呢？二姨太也可以做少奶奶呀……』

『好啊！』羅老太勃然變色：『看樣子，我們又中了圈套，你們以爲只有你們有人手嗎？』她掉頭看門外。『老閔！老閔……』

『停止！停止！停止！』雪珂承受不住四面八方逼過來的壓力，崩潰的抱住了頭。『請你們不要爲了我，再大動干戈吧！也請不要逼我再作選擇吧！我知道，我是一切痛苦的根源，我帶給每一個愛我的人莫大的痛苦，包括我自己的女兒在內！那麼，讓我把這個痛苦的根源，一刀斬斷吧！』說著，她忽然從懷裡，取出一把預藏的匕首，在衆人的驚愕中，雙手握住匕首的柄，用力對自己當胸刺下。

『格格！不可以！』阿德從老遠飛躍過來，穿過好幾個人，落在雪珂面前，急忙去搶匕首。

『雪珂！』高寒慘叫，飛撲上前，雙手一托，正好托住雪珂倒下的身子。

高寒和阿德，兩人都沒有來得及阻止那把匕首，雪珂用力之猛，匕首已整支沒入雪珂胸前，血迅速湧出，衣衫盡濕。

『天啊！天啊！』高寒痛喊：『雪珂！妳怎會這樣？老天啊！誰來救我！誰來幫我……』高

寒伸手，想去拔匕首，卻不敢碰。

至剛極度震驚的呆住了，只覺得身子搖搖晃晃的站不穩。雪珂竟預藏匕首！這匕首是家傳之物，銳利無比，也是當年雪珂斷指的那一把！雪珂居然帶了它來，那麼，她早知今日不能善了，已懷必死之心？至剛瞪視著那血，鮮紅的，不斷的湧出來……他彷彿又看到當年斷指的雪珂，滿臉堅決，義無反顧……天啊！這是怎樣的女子！

『娘！』小雨點哭得摔倒在地，福晉慌忙抱住小雨點，放聲痛哭，不住口的喊：

『我的雪珂！我的雪珂呀！』

一時間，叫雪珂！叫娘，叫格格……各種呼喚聲，此起彼落，房裡亂成一團。

雪珂就在這一團混亂中，睜大了眼，看高寒，再看至剛，她拚命努力著，說：

『讓所有的仇恨，跟著我的生命，一起消失吧！』她轉動著頭，眼光找到了小雨點，她的唇邊，浮起一個好溫柔、好美麗的微笑：『小雨點，奶奶告訴妳，娘早就死了！妳娘……苟且偷安了八年，現在要去找妳奶奶……妳再無牽掛，和妳爹好好過日子吧……』雪珂說完，雙眼一閉，頭歪倒在高寒手臂裡。

『娘！娘！娘……』小雨點慘烈的哀號，倒在福晉懷裡。『不要啊！不要不要不要啊……』她哭得暈死過去。

羅老太不可置信的看著這一幕，此時，驀然醒覺，對門外大聲喊著：

『老閔！老閔！快請醫生！』

至剛猛的直跳起來，往門外衝去。

『我去找吳將軍，他身邊的孟大夫，能起死回生呀！』他轉頭對高寒大喊：『抱穩她！讓她挺住！讓她挺住……不許讓她死……』他狂奔而去。

王爺眼中，佈滿淚水，痛不欲生的跌坐椅中。

『孩子啊！』他喃喃的說：『我殺了妳了！是我……殺了妳呀！』

翡翠撲通跪落地。

『格格啊！如果妳死了，我再也不相信，人世間有天理，有鬼神，有愛……』

雪珂沉睡在一團濃霧裡，飄飄盪盪，晃晃悠悠，正飄然遠去。她的身子很輕，輕得像一片羽毛，輕得沒有絲毫重量，就這樣朦朦朧朧的，沒有意識的，飄遠，飄遠，飄遠……不知道要飄往何處，也不知道要飄多久。

似乎飄盪了幾千幾萬年，雪珂忽然感到身子一沉，像是從高空筆直墜落，乍然間，全身都碎裂成無數碎片，而每個碎片都帶來尖銳的痛楚，使她脫口驚呼了：

『啊……』

她以為她喊得好大聲，事實上，她的聲音細弱如絲。隨著這聲喊，她的意識有些清晰了，她努力吸了口氣，怎麼連呼吸都那麼難呢？她努力要睜開眼睛，怎麼眼睛像鉛一樣沉重呢？她蹙了蹙眉，努力的，努力的睜開眼。

『她醒了！』一個興奮的聲音低語著！

『她醒了！』另一個聲音說。

『她醒了！』

『她醒了！』

『……』

怎麼？全世界的人都在自己身邊嗎？為什麼呢？她終於睜開眼睛了，第一眼看到的是小雨點。那孩子眼睛紅紅腫腫，雙手張著，想抱雪珂，卻不敢碰雪珂，嘴裡希奇古怪的在說著：

『娘，妳醒了！妳不要再睡過去，娘，我好怕！我好怕！我怕妳像奶奶一樣，睡著就不醒過來，娘，妳不要去找奶奶，妳有我呀！妳有爹呀，妳有外公外婆呀……我們大家都愛妳呀，求求妳不要死！求求妳不要死……』

哦！小雨點！哦哦！小雨點！哦哦哦！小雨點！她心愛的，心疼的，捨不得片刻分離的小雨點……她可憐的小雨點呀！雪珂想著，就想伸手去拭那孩子的淚，可是，她的手竟那麼無力，她根本抬不起手來……哦！她恍然明白了。她正躺在寒玉樓樓上的房間裡，她正在慢慢的『死去』。

第二個映入眼睛的是高寒，不不，不是高寒，是她在大佛寺誠心誠意拜過天地的丈夫——亞蒙。亞蒙看來，是那麼憔悴和悲苦！這個男人，她害了他！害他遠赴新疆做苦工，害他顛沛流離，害他妻離子散，害他失去老母，害他為情所苦……她轉開視線，觸目驚心，她居然看到了至剛！他也在！是的，這個男人，她也害了他！給了他那樣不幸的婚姻，帶給他那麼多的侮辱，使一個無憂無慮的少年，驟然墜入痛苦的深井！她害了他！她再看過去，爹、娘似乎驟然老了一百歲，哀淒而無助。再過去，羅老太在掉著眼淚，她哭了！雪珂震動之至，老太太，對不起！把妳那平靜安詳的家園，攪成這樣一塌糊塗……但是，一切都將結束了！很快很快，一切都將結束！她再看過去，翡翠阿德默然肅立，雙雙拭著眼淚。……翡翠，阿德！她心中掃過一絲祈盼：翡翠，阿德。

隨著雪珂的注視，滿屋子的人都開始振奮了。高寒仆在床邊，握緊了雪珂的手，激動的喊：『雪珂！如果妳聽得見我，請抓緊妳的意識，不要讓它飛掉，不要讓它消失！我們已經爲妳請了最好的醫生，醫生說……醫生說……』

『醫生說……妳活不了！』至剛忽然插進嘴來，滿眼佈滿了血絲，臉色蒼白如紙，他也仆在床邊，他的頭和高寒的頭並排在一起。這，大概是這兩個男人，有生以來第一次，爲相同的目標而努力。『雪珂，我告訴妳，』至剛強而有力的說著：『孟大夫是治刀傷槍傷的名醫，他已經取出了妳胸前的匕首，也縫合了妳的傷口。但是，他說，妳的生命正在一點一滴的流失，他盡了力。所以，現在我們無所倚靠，只有倚靠老天幫忙，還有就是妳自己！妳要求生，不要求死！活著，還有一大片天空，死了就什麼都沒有了，活著，才能和妳朝思暮想的人團聚呀！』

這是至剛說的話嗎？雪珂牽動嘴角，眞想給他一個鼓勵的微笑。至剛，你放我了？你終於願意放我了？她張開嘴，努力又努力……

『安靜！』高寒喊：『她要說話！她要說話！』

『謝謝你，至剛。』雪珂終於吐出了聲音：『在我生命的最後一刻，你成全了我。』她微笑起來，慢慢的說了八個字，這八個字也是她這些日子來，柔腸百折，千迴萬轉的思緒：『前夫有情，後夫有義！』

至剛震動的跳了跳，淚水奪眶而出。

『雪珂，』他痛定思痛，悲不自已。『妳還肯對我用一個「夫」字，一個「義」字！我不配啊！把妳害到這種地步才肯放手，我不配啊！老天！』他用手痛苦的抱住頭。『為什麼人必須把自己逼到死角，才清醒過來呢！』他再抬眼看雪珂，看高寒。『雪珂，妳從來沒有屬於過我，在妳內心深處，始終只有一個丈夫！我醒悟得太晚了！』

『不晚！不晚！』羅老太不停的拭著淚。『雪珂，妳要為我們大家的後悔，和大家的期盼而活著呀！』

『對啊！』王爺說，他終於和羅老太站在同一立場了。『孩子啊！妳要努力活下去！否則，我的錯誤，再也沒有挽回的餘地了！』

『雪珂啊！』福晉緊摟著小雨點：『妳聽到我們所有的人，這麼強力的呼喚了嗎？要活著，要活著呀……』

雪珂太感動了，是啊，要活著。她不想死了！要活著和小雨點團聚，要活著和亞蒙團聚，要活著和爹娘享受天倫之樂……過去生命裡失去的，要在未來的日子裡彌補，是的，要活著，要活

著，要活著，要活著……她周邊的聲音，全匯爲一股大浪：要活著！洶湧澎湃的聲音：要活著！天搖地動的吶喊：要活著！

但是，生命力似乎正在抽離她的身體，她又覺得自己往濃霧中隱去，整個身體都輕飄飄了。

『亞蒙！』她低喚。

『我在這兒，我在這兒！』

『拉住我的手！』

高寒緊握住了她的左手。

『小雨點！』她再喊。

『娘！娘！娘！』小雨點痛喊著。

『妳……也拉住我……』

小雨點慌忙握住了她的右手。

我的家人！雪珂心中呼喚著，努力維持住尚未飄散的意識。亞蒙和小雨點，他們終於緊緊握住她了！爲了這份愛，她曾幾度三番不惜犧牲生命來交換！而今，她終於完完全全的擁有了！在這一刹那間，她感到自己的整顆心，都被一種前所未有的幸福感所充實了！生或死都不再重要；

她活過，她有過，她愛過……最重要的，她是這樣深深的『被愛』著！人生一世，追尋的不就是這個嗎？能這樣強烈的感覺著『愛』與『被愛』，這世界實在太美好了！

雪珂的眼睛慢慢閉上，心裡在歡欣的唱著歌，她握住亞蒙和小雨點的手，握得更緊更緊了。

——全書完——

一九九〇年十月十五日完稿於台北可園
一九九〇年十一月五日修正於台北可園

皇冠叢書第1839種

《瓊瑤全集》

雪珂

瓊瑤◉著

發 行 人：平鑫濤
出版發行：皇冠雜誌社
台北市敦化北路120巷50號
電話：7168888
郵撥帳號0010426－9號
登 記 證：局版台誌字第0946號

責任編輯：方麗婉
美術編輯：吳慧雯·林偉達
校　　對：劉秋娥·鮑秀珍·謝慧珍·陳麗玟

印 刷 者：秋雨印刷股份有限公司
台北市忠孝東路三段96號2樓
電話：7710175

典藏版·初版：一九九〇年十二月
三 十版：一九九一年一月

本書定價：新台幣150元·港幣45元

國際書碼：ISBN 957-33-0467-8

Printed in Taiwan